Les Éditions du Boréal
4447, rue Saint-Denis
Montréal (Québec) H2J 2L2
www.editionsboreal.qc.ca

UN FIN PASSAGE

DU MÊME AUTEUR

La Vraie Vie, Montréal/Moncton, Éditions de l'Hexagone/Éditions d'Acadie, 1993.

1953 chronique d'une naissance annoncée, Moncton, Éditions d'Acadie, 1995.

Pas pire, Moncton, Éditions d'Acadie, 1998.

France Daigle

UN FIN PASSAGE

roman

Boréal

Les Éditions du Boréal remercient le Conseil des Arts du Canada
ainsi que le ministère du Patrimoine canadien et la SODEC
pour leur soutien financier.

Les Éditions du Boréal bénéficient également du Programme
de crédit d'impôt pour l'édition de livres du gouvernement du Québec.

L'auteur désire remercier la Direction des arts du Nouveau-Brunswick
pour son soutien financier à l'écriture de ce livre.

Diffusion au Canada : Dimedia
Diffusion et distribution en Europe : Les Éditions du Seuil

Données de catalogage avant publication (Canada)

    Daigle, France

    Un fin passage

    ISBN 2-7646-0118-2

    I. Titre.

PS8557.A423F56	2001	C843'.54	C2001-940768-8
PS9557.A423F56	2001		
PQ3919.2.D34F56	2001		

Jeudi

L'organisation

Claudia regarde par le hublot de l'avion qui survole l'étendue ondulée de nuages blancs. Toute la mécanique du monde lui semble lisse en ce moment. Le soleil brille sans entraves au-dessus de cette mer blanche éclatante, et le ciel n'exprime rien d'autre que son immensité essentielle.

Une sorte de prêtre est assis sur le siège à côté de Claudia. Il fouille pour la énième fois dans son sac de voyage usé, en sort une tablette de chocolat. Il la déballe à moitié puis la promène jusque sous le nez de Claudia.

— Vous en voulez?

— Non, merci.

Le gros homme abondamment barbu ramène la tablette vers lui et d'un petit coup sec brise un morceau du chocolat.

— Seize ans?

— Quinze.

Le prêtre générique — un pope grec ayant quelque chose d'un rabbin, et vice versa — croque le chocolat. Il respire profondément tout en mâchant. Des cheveux gris pendouillent du petit chapeau à la fois rond et carré sur sa tête. Son costume noir a lui aussi grisonné à l'usure.

— Je m'appelle Shimon. Et vous ?

Claudia, qui aurait préféré rêvasser en regardant les nuages plutôt que parler, se résigne.

— Claudia.

Le pope-rabbin lui tend de nouveau le bout découvert de son chocolat.

— Vous êtes certaine que vous n'en voulez pas, Claudia ?

— Oui, merci.

Il ramène la tablette vers lui, en rompt un autre morceau.

— Je ne voyageais pas tout seul à votre âge.

Il réfléchit en mâchant.

— Mais mes parents et mes grands-parents, eux, ont beaucoup voyagé.

Il se penche vers elle, se confie.

— Vous voyez, je suis juif.

Puis il s'incline davantage et chuchote :

— Je porte un secret.

Claudia acquiesce par politesse mais n'a pas le goût de poursuivre la conversation. Elle tourne discrètement la tête vers le hublot.

— Il s'appelle Yahvé.

Le pope-rabbin prononce ce nom de Dieu comme si ses poumons étaient en train de se dégonfler tout à fait. Croyant l'homme en train de tomber malade, Claudia retourne la tête.

Satisfait de son exhalation, Shimon poursuit :

— C'est notre Dieu. Vous croyez en Dieu ?

Claudia hausse les épaules. Elle ne sait pas.

— Yahvé. Cela se prononce avec le souffle.

Le pope-rabbin exhale le nom de Yahvé une troisième fois.

— Parce que Dieu, c'est le souffle. Presque uniquement cela. C'est votre premier voyage en avion peut-être ?

— Non.

L'homme replie le papier d'emballage sur le reste de son chocolat.

— Bon, je vais lire maintenant. Je ne vous importunerai plus.

Il ouvre le livre qui reposait sur ses genoux, se met à lire. Mais au bout d'une minute à peine, il se tourne encore une fois vers sa voisine.

— La sagesse, ça vous dit quelque chose ?

Claudia répond par un oui hésitant, craignant la suite.

— Eh bien ! Figurez-vous que j'en suis un, sage. Vous en aviez déjà vu un ?

Claudia n'est pas loin de conclure que l'homme est un peu dérangé. Elle ne sait pas comment couper court à la conversation.

— Non, je ne crois pas.

— Bon ! Voilà qui est fait.

Le dénommé Shimon promène ensuite un regard global autour de lui.

— Les gens commencent à soupirer. C'est bon signe.

11

Et il ajoute, encore quelque peu sur le ton de la confidence :

— Ils fatiguent. Certaines fatigues sont très belles.

*　*　*

Deux femmes ont entamé leur repas de midi dans un restaurant bondé.

— Le jeudi, il jette ses vieux mouchoirs.

En disant cela, celle qui a parlé n'a pas levé les yeux de son assiette, occupée qu'elle est à essayer de soulever avec sa fourchette un morceau de laitue molle qui n'aspire qu'à rester avachie dans son fond de vinaigrette. Son interlocutrice répond elle aussi sans lever la tête, s'acharnant à enrober de sauce le morceau de viande qu'elle vient de piquer.

— Seulement le jeudi ? Qui les jette les autres jours ? Toi ?

Le morceau de laitue se laisse enfin prendre. Décidément, son amie ne changera jamais.

— Je veux dire que le jeudi, il est plus sûr de lui. Plus confiant, plus optimiste.

— Ah ! Il rebondit.

Une accalmie gagne le restaurant.

— Il n'est pas un peu dépressif ?

— Dépressif ? Non. Enfin, je ne crois pas.

* * *

Claudia n'en revient pas d'avoir dormi et constate avec étonnement que le pope-rabbin s'est assoupi lui aussi. Elle se souvient d'avoir lutté contre le sommeil un bon moment en l'écoutant raconter tout ce qui avait l'air de lui passer par la tête. Pendant ce qui lui avait semblé d'interminables minutes, elle s'était efforcée de suivre ce visage parlant, mais en vain : le visage du pope-rabbin se défigurait, tournait au ralenti, ou subissait des coupures de montage, comme dans les vieux films dont raffolent ses parents lorsqu'ils prennent congé de leurs idéaux humanitaires. Puis, l'homme l'avait incitée à céder à l'endormissement.

— Allez, ne vous en faites pas pour moi. Le sommeil, c'est un don de Dieu.

Claudia regarde les mains délicates et blanches de son voisin endormi. L'un des doigts est enserré par les pages d'un livre à couverture noire indifférenciée.

Une hôtesse passe dans l'allée, demande par-ci par-là si tout va bien. La regardant s'en aller, Claudia aperçoit, de biais, de l'autre côté de l'allée étroite, un homme dans la cinquantaine qui se rajuste sur son siège, décroise la jambe. Il n'a pas l'air de lire.

* * *

Dans le restaurant, les deux femmes ont fini de manger. Elles ont décentré un peu leurs assiettes, où traînent quelques restes.

— Tu ne sais vraiment pas où il est ?

— Il m'a téléphoné deux fois. Pour prendre de mes nouvelles.

— Il appelait d'où ?

— Je le lui ai demandé, mais il n'a pas voulu me le dire. Il a dit que c'était sans importance.

— Bon sens ! Il est dans une sorte de magouille ou quoi ?

La femme à la laitue répond en riant :

— Mais non, voyons ! Il est comme ça, c'est tout.

Son amie lâche un soupir.

— Et quand est-il censé revenir ?

— Je ne sais pas.

Elle attend un petit moment avant de dire le fond de sa pensée.

— Si jamais il revient.

Et l'amie de conclure, en jetant sa serviette sur la table :

— Je ne sais pas comment tu fais.

* * *

Après avoir décroisé la jambe, ce qui modifie légèrement sa perspective, l'homme qui n'avait pas l'air de lire continue de penser au fait que les noms des grands vents planétaires s'écrivent sans majuscule. Pourquoi pas l'Alizé? le Foehn? le Sirocco? Il lui semble que les courants d'air devraient avoir droit à leur identité propre, tout comme les déserts, les chaînes de montagnes et les courants d'eau. Pourquoi, en effet, les déplacements d'air ne mériteraient-ils pas autant de distinction que les déplacements d'eau? Pourquoi pas un Mistral et un Chinook, puisqu'il existe bien un courant des Aiguilles et un courant Sud-équatorial? La preuve qu'on en veut au vent : le courant des moussons — le seul courant aquatique qui s'écrit sans majuscule — n'est-il pas nommé d'après un mouvement d'air? Mais est-ce bien possible tout cela? L'homme qui n'a pas l'air de lire incline maintenant le dossier de son fauteuil, mais il ne ferme pas les yeux pour dormir. Tout au plus espère-t-il réfléchir différemment.

Et combien en existe-t-il, au juste, de ces vents majeurs qui balayent de grandes surfaces du globe? Quatre? huit? une douzaine? Et le courant-jet, phénomène naturel unique pour autant qu'il sache, pourquoi ne pas lui conférer sa lettre de noblesse? L'homme qui n'a pas l'air de lire jette un coup d'œil sur l'allée vers l'avant de l'appareil. Les passagers sont tranquilles et il n'y a aucun agent de bord en vue. Il s'imagine faire irruption dans la cabine pour demander aux pilotes si les avions volent au-dessus ou au-dessous des vents, mais, vu la torpeur ambiante, il renonce à passer à l'action. Un vrai mercredi. Ce n'est pas la mort, mais presque.

* * *

En frappant à la porte, Hans eut comme un pressentiment.

— C'est bien vrai. Excusez-moi. Je pensais qu'on était vendredi. C'est mon erreur.

La femme le regarda des pieds à la tête.

— Non. Ne vous excusez pas. Il n'y a pas d'erreur. L'observation des jours est une science inexacte. Pour vous, nous sommes sans doute vendredi. Cela se voit. Mais, que voulez-vous? je suis bien obligée de suivre la grille humaine de l'organisation du temps. Cela ne me convient pas toujours à moi non plus, hélas!

Hans ne s'attendait pas à une explication aussi soutenue de ce qu'il aurait qualifié de simple distraction de sa part.

— La simple distraction, comme on dit, cela n'existe pas.

Cette femme lisait-elle aussi dans les pensées? Hans voulut mettre fin à cette impression bizarre, mais, désorienté, il ne savait même plus tout à fait comment parler du lendemain.

— Bon. De toute façon, je reviens… euh… demain?

— C'est ça. À demain.

Et la femme avait refermé la porte sans plus de formalités.

Une fois, comme ça, après l'amour, ils avaient eu faim. L'homme qui n'avait pas l'air de lire avait donc préparé des sandwiches, qu'ils entamèrent en silence. Sans doute était-ce un silence équivoque. Elle avait hésité avant de poser la question, mais en fin de compte n'avait pu s'en empêcher.

— À quoi penses-tu?

C'était encore dans le temps où elle se serait attendue à une réponse enrobée de bons sentiments.

— Je pensais au sel. J'en ai pourtant mis suffisamment, mais je ne le goûte pas du tout. Je me demande si le sel finit par perdre son goût, par se défraîchir avec le temps.

Elle était restée bouche bée, et ils avaient fini de manger en silence.

* * *

Assez loin derrière, sur un siège donnant sur l'autre côté du ciel, Carmen regarde elle aussi par le hublot. À côté d'elle, Terry est absorbé dans un besselaire américain acheté à l'aéroport.

— Ça que j'aimais quand je fumais, c'était d'avoir l'impression, comme vingt fois par jour, d'arriver à la fin de que'que chose.

Terry s'arrête de lire.

— Hmmm… Je sais quoi c'que tu veux dire.

Carmen et Terry ont cessé de fumer depuis deux semaines.

— C'est pas si pire pareil, ein?

— C'est pire assez.

*　*　*

Mais l'homme qui n'a pas l'air de lire n'est pas toujours préoccupé par des considérations aussi superflues que la fraîcheur du sel ou le statut des vents dans l'esprit des académiciens de la géographie et de l'orthographe. Souvent, il ne pense à rien de très précis, incapable qu'il est de s'agripper à quoi que ce soit dans la longue coulée des événements de la vie. De sa vie. De ces derniers mois, en particulier, il ne retient pas grand-chose. Sauf peut-être cette partition de Gabriel Pierné, *Prélude et Fughetta pour septuor à vent,* qui lui est tombée entre les mains par hasard. Qu'avait-il ressenti, à ce moment-là, à l'égard de deux flûtes, un hautbois, une clarinette, un cor et deux bassons? La question ne se serait pas posée s'il avait été musicien, ce qui n'est pas le cas. Peut-être a-t-il été séduit par la graphie de la partition — un vieux réflexe de peintre —, mais entreprendra-t-il de composer ne serait-ce qu'un autre tableau avant la fin de ses jours? La question reste posée.

* * *

— Beaucoup de gens prient sans le savoir. Claudia s'est rendu compte que le pope-rabbin n'éprouvait aucune gêne à parler tout seul. Elle le laisse donc à son monologue et continue de s'imprégner de la douceur des nuages.

— La joie est la plus belle des prières, vous ne trouvez pas?

Ne pouvant longtemps feindre de ne pas l'entendre, Claudia se retourne vers son voisin.

— Les joies simples sont déjà lumineuses, alors imaginez la joie sans repère.

* * *

Peindre. Quelle lubie! Tout cela avait commencé par une idée saugrenue. Apparemment, un oncle de sa mère, vieil oncle qu'il n'a jamais vu — il se demande parfois s'il a réellement existé —, avait un jour abandonné femme, enfants et biens pour s'exiler seul au Canada, à Vancouver. On lui avait raconté cette péripétie familiale lorsqu'il était enfant, sans préciser que le nom du lieu devenu mythique s'épelait V-a-n-c-o-u-v-e-r, et non V-e-n-t-C-o-u-v-e-r-t, comme il se l'était figuré. Combien de fois avait-il essayé de se représenter l'allure d'un vent couvert, et l'aspect d'une ville ainsi

19

nommée ? Seuls des effets de couleur lui étaient venus à l'esprit, effets qui s'imposèrent de plus en plus fréquemment lorsqu'il se trouvait face à des concepts quelque peu abstraits ou carrément insaisissables.

Peindre. Il n'en revenait toujours pas de constater que cette façon d'appréhender le monde — cette façon de prendre, ou de perdre, son temps — lui avait permis de gagner sa vie. Quelle chance et quel scandale à la fois ! Et quel soulagement de penser que tout cela était à peu près fini. Quelques relents de tout ce passé traînent encore dans le présent de l'homme qui n'a pas l'air de lire, mais cela ne pèse pas lourd dans ses bagages. Cette partition de Pierné, par exemple. À la limite du supportable.

* * *

C'est curieux comme, même dans la mort, j'ai l'impression de vivre à contre-courant. Ici, dans l'aile des suicidés, personne n'essaie de revenir à la vie. Ce sont des suicidés exacts. Ils n'en ont plus rien à faire des vivants. Oh, de temps en temps, je croise une lueur de mélancolie, un souvenir évanescent qui apparaît dans un regard, mais rien de cela ne dure. Les suicidés exacts ne se débattent pas avec ces choses. Ils ont fini de se débattre.

* * *

L'homme qui n'a pas l'air de lire n'aime pas le froid, et il est conscient de son désir de nommer en propre d'abord et surtout les vents chauds et caressants du globe. Pour tout dire, l'homme qui n'a pas l'air de lire éprouve une sorte d'aversion pour tout ce qui apparaît comme difficile.

— … alors imaginez la joie sans repère.

Lorsque cette fin de phrase arrive à ses oreilles, l'homme qui n'a pas l'air de lire reconnaît la voix qu'il a entendue un peu plus tôt et qui vient d'une rangée ou deux par-derrière. Il n'y avait guère prêté attention, elle faisait simplement partie du murmure général du vol. La voix poursuit :

— Vous imaginez ce que c'est, la joie sans repère ?

L'homme qui n'a pas l'air de lire entend une voix plus jeune répondre par la négative.

— En effet, c'est un peu difficile à imaginer. Mais on y goûte parfois, vous verrez.

L'homme qui n'a pas l'air de lire est tenté de se retourner. Enfin un peu de distraction. Pour en profiter pleinement, il décide, mine de rien, de se rendre aux toilettes. Comme par hasard, il se lève en même temps que la jeune fille assise à côté du pope — ou du rabbin, il ne sait pas très bien — à qui il attribue cette parole inspirée. L'homme qui n'a pas l'air de lire laisse passer la jeune fille devant lui. Ils marchent l'un derrière l'autre vers l'arrière de l'appareil, tous deux ayant l'impression d'aller à contre-courant.

Tu as repris tes petites voitures. Tu as bien raison. Mais cela inquiète ta mère de voir que tu reproduis souvent une collision comme celle dans laquelle j'ai perdu la vie. Bien sûr, tu ne peux t'en empêcher. Tu ne sais pas exactement ce qui s'est passé, mais tu as entendu des choses. Tu crois avoir compris que j'aurais fait exprès, que j'aurais causé cet accident pour me sortir de la vie. Comment te faire comprendre à toi, mon fils, que je ne me suis pas suicidé? Ou enfin, si peu.

Comme tout le monde, j'ai parfois voulu mourir à quelque chose. Souvent même. Car vivre, c'est aussi mourir. Parfois j'éprouvais cruellement le manque — manque d'un regard qui m'aurait permis de sortir de moi-même, d'échapper à mes limites. Je vivais cela comme une sorte d'enfermement, un peu comme si j'avais été cloisonné dans un avion en plein ciel. J'acceptais de vivre ainsi, même si parfois je le déplorais. Mais comment te faire comprendre à toi, mon fils, que je suis un suicidé involontaire, un suicidé inexact? que l'intention de mort que l'on m'attribue est une erreur? De toute façon, je n'aurais jamais choisi de mourir un jeudi.

* * *

Tous les cabinets sont occupés lorsque arrive Claudia, suivie de l'homme qui n'avait pas l'air de lire. Mais personne d'autre attend, sauf peut-être un jeune homme qui se tient là, la tête baissée, l'oreille pratiquement collée contre l'une des portes. Claudia et l'homme qui n'avait pas l'air de lire entendent quelqu'un vomir dans les toilettes. Le jeune homme semble inquiet.

— Carmen?

Lui parvient, pour toute réponse, un autre haut-le-cœur.

— Carmen? Es-tu O.K.?

Aucune réponse. Le jeune homme lève la tête, regarde la jeune fille et l'homme témoins de la situation. Soucieux mais impuissant, Terry hausse les épaules et offre en guise d'explication:

— A l'est enceinte.

Mardi

L'attaque

Hans commence à trouver sympathique l'homme debout en face de lui, une espèce de cow-boy des vignobles qui ne s'embarrasse pas de prévenances pour ménager les susceptibilités.

— Alors quoi, vous allez en finir ou pas avec ce casse-tête ?

C'est la deuxième fois que Hans le croise à une dégustation et il se sent parfaitement à l'aise de lui répondre sur le même ton.

— Cela a l'air de vous tourmenter autant que moi.

Une jolie hôtesse repasse avec du vin. Ils en reprennent tous les deux. Puis survient un petit mouvement de groupe inexplicable, et Hans se demande si le sol ne recommence pas à trembler, sensation qu'il s'est surpris à aimer depuis qu'il vit en Californie.

Hans n'avait pas du tout pensé à la pourtant célèbre faille de San Andreas lorsqu'il a décidé de venir à San Francisco. De sa vie, jamais il ne s'était préoccupé du moindre tremblement de terre. Maintenant qu'il a quelques fois ressenti ces grondements souterrains, il y a pris goût. Cela le remue d'une façon nouvelle et tout à fait intime, comme si cela réveillait en lui une espèce de cohérence primordiale.

* * *

Il n'y a plus que les deux femmes dans la salle à manger du petit restaurant.

— Et au travail, ça va ?

— Bof. Ils ont cru que les gens voulaient relire Balzac, alors on refait tout Balzac. Mais ça achève.

— Et après, ce sera qui ?

— Gorki.

La femme à la laitue sort une cigarette de son paquet, l'allume.

— Après ça, je dois y aller.

— Au fait, je pensais que tu ne fumais plus ?

En expirant la fumée, la femme fait un signe de tête qui ne signifie ni oui ni non, puis précise :

— Seulement en public.

* * *

Hans avait acheté ce deuxième casse-tête sous l'effet d'une petite psychose du mardi, alors qu'il s'était senti particulièrement courageux, plutonien, chinois.

Ayant terminé le premier, une reproduction du *Dénombrement de Bethléem* de Bruegel l'Ancien, il était tombé sur ce *Paysage d'hiver* de Jan Bruegel, dit Bruegel de Velours, second fils de Bruegel l'Ancien. Il s'agissait de nouveau d'un casse-tête de trois mille pièces, montrant encore de nombreux petits personnages s'activant aux abords d'une bourgade flamande enneigée. Sur la porte transformée en table qui occupait un coin de la grande chambre qu'il avait louée, il avait assemblé le contour et à peine amorcé l'intérieur de ce deuxième casse-tête. Quelque chose l'empêchait d'aller plus loin. Cela durait depuis des semaines.

— Il y a quelque chose dans ce casse-tête qui vous dépasse, et vous y résistez.

Hans avait cherché autour de lui une personne qu'il aurait réellement pu tenir pour sage.

— Peut-être que vous ne voulez tout simplement pas le finir. En finir.

Au moment de payer, Hans avait remarqué que la femme avait la peau rongée autour des ongles. Cela lui fit un drôle d'effet. Elle lui avait pourtant été chaudement recommandée.

* * *

Terry et Carmen font la queue pour passer au contrôle de douane. La file dans laquelle ils se trouvent avance à peu près au même rythme que les autres.

Personne ne semble avoir d'émotions. Terry et Carmen avancent ensemble jusqu'au comptoir. Le préposé tolère mal cette entorse au règlement.

— Un à la fois.

Il donne un bref coup de tête vers la ligne d'attente. Terry comprend que l'un d'eux doit reculer jusque derrière le trait de couleur dessiné par terre. Cela ne lui paraît guère possible, et il tente de l'expliquer à l'homme en face de lui.

— A l'est enceinte.

Le préposé comprend le mot enceinte, mais il ne sait pas tout de suite à quoi le rattacher. Il lève les yeux, voit ce jeune homme qui le regarde d'un air sincère, puis voit la fille, qui a l'air d'une lycéenne en mal de pays. Il décide de ne pas se donner de fil à retordre, fait semblant de comprendre, vérifie les passeports, les leur remet et les laisse passer sans poser de question.

Terry et Carmen récupèrent leurs bagages puis se dirigent vers la station de taxis, où ils doivent de nouveau faire la queue. Terry ne s'attendait pas à ce que les choses soient organisées à ce point. Quand vient leur tour, il pousse les valises jusqu'au coffre arrière de la voiture et entreprend même de les y déposer. Cela ne semble pas correspondre au style du chauffeur, qui est d'humeur plutôt maussade. Terry juge utile de lui expliquer pourquoi il fait tout ce travail lui-même, sans l'aide de Carmen.

— A l'est enceinte.

Le chauffeur ne s'embarrasse aucunement de ce qu'on lui dit et enfonce la dernière valise dans le coffre en bougonnant dans sa moustache. Terry et Carmen comprennent qu'il ne faut pas traîner et ils montent dans la BMW archi-propre. Terry prononce du mieux qu'il peut le nom et l'adresse du petit hôtel qu'un ami leur a recommandé. Incapable de comprendre, même après avoir fait répéter Terry plusieurs fois, le chauffeur demande carrément à lire l'adresse manuscrite, ce qui ne va pas de soi non plus, mais en fin de compte, la voiture aboutit au cœur de Paris comme il se doit.

* * *

Ici, dans l'aile des suicidés exacts, ils rient un peu de moi. Pour eux, il n'y a pas d'erreur. Je me suis vite rendu compte qu'il est inutile d'essayer de les convaincre du contraire. Au début, ils m'ont bien écouté quelques fois — par une sorte de charité que je n'arrive pas encore à comprendre —, mais je sentais ma cause perdue d'avance. C'était gravé dans leur regard, dans leur posture, dans leur immobilité. C'est indescriptible comme ils ont vraiment cessé de vivre.

Il peut paraître contradictoire de les croire absolument morts et, en même temps, de sentir qu'ils rient de moi ou qu'ils sont quelque peu charitables. Il en est pourtant ainsi. Mais au lieu de me rassurer, ces petits manquements aux règlements de la mort ne font qu'accentuer mon sentiment de solitude, mon incapacité à les rejoindre. Je n'ai jamais tellement cru au ciel et à l'enfer, mais si je devais me les imaginer pendant quelques instants, pour ce qui est de l'enfer, ce que je viens de décrire serait le plus ressemblant. Il y a quelque chose d'intolérable dans l'impression lancinante que j'ai de ne pas être à ma place. Mais je vois que beaucoup de gens sur la terre souffrent de la même façon.

* * *

Claudia doit attendre près d'une dizaine d'heures à l'aéroport avant d'entreprendre la deuxième étape du périple qui la mènera à destination, en l'occurrence, un kibboutz en Israël. Elle va y retrouver ses parents pour des vacances — son collège est très libéral à cet égard —, histoire de les rassurer sur son bien-être, et sur la légitimité de leurs choix.

Claudia a l'habitude de ces voyages. Il y a maintenant quelques années que ses parents ne trouvent pas à vivre autrement qu'en épousant une cause. C'est ce qu'elle a expliqué brièvement au pope-rabbin, parce que même s'il était un peu particulier, Claudia avait senti qu'il ne lui voulait que du bien.

— Ils vous fichent la paix, au moins ?

La réaction du pope-rabbin l'avait fait rire car, en effet, Claudia s'estime chanceuse du fait que ses parents ont décidé de voler de leurs propres ailes. Et bien qu'elle ne déteste pas les revoir une fois ou deux par année, une semaine, plutôt que deux, suffirait amplement. Elle se reconnaît bien en eux, mais au bout de quelques jours, elle finit toujours par sentir que cette ressource naturelle est épuisable.

Le pope-rabbin l'avait rassurée.

— Il faut mourir à ses parents, vous savez. C'est écrit. Alors soyez sans crainte.

Puis il s'était remis à lire.

* * *

La femme qui ne fume qu'en public savoure tranquillement sa cigarette. Son amie voltige d'une pensée à une autre.

— Tu sais s'il peint au moins?

— Oh, j'en doute. Mais je ne sais pas. Il n'en parle pas.

— Il gaspille son talent.

Cette notion de gaspiller son talent paraît tout à coup étrange à la femme qui fume. Elle pourrait la contester, mais aujourd'hui elle n'a pas l'énergie de se battre contre ce cliché. Certains mardis ne sont pas comme les autres.

L'amie change de sujet.

— Des gens ont emménagé dans le logement d'à côté. Les déménageurs sont venus hier. Il n'y a que de belles choses qui sont entrées dans cette maison.

Puis, pour conclure :

— Tu devrais arrêter de fumer. Tu cours à ta perte.

La femme qui fume écrase son mégot dans le cendrier.

— C'est drôle, j'ai plutôt l'impression d'y marcher tranquillement.

* * *

Terry et Carmen ont entassé leurs valises de la façon la plus pratique possible dans l'espace restreint de leur chambre. Ils ont aussi mis l'un contre l'autre les deux petits lits. En ce moment, Carmen fait sa toilette dans la salle de bains. Elle parle en même temps à Terry. Elle a toujours aimé lui parler de cette façon, lorsqu'il est dans la chambre et elle dans la salle de bains.

— T'as pas besoin de dire à tout le monde que je suis enceinte. Ça paraît pas même.

C'était comme si les cloisons permettaient des prises de position plus fermes.

— Ben, c'est justement ça! Comment c'qu'y vont saouère?

— Y'ont pas besoin de saouère. Ça change rien.

La réponse de Terry ne suit pas immédiatement.

— Moi je trouve que ça change de quoi.

Puis il ajoute, tout en essayant d'ouvrir la fenêtre :

— Je crois ben que c'est ma façon d'être enceinte avec toi.

Carmen trouve la réponse mignonne, n'a rien à redire, continue de se farder.

— On est-ti mardi ou mercredi? Je suis toute mêlée.

— Ça fait pas d'diffarence. Mardi, mercredi…

Quand elle sort de la salle de bains, Terry est étendu en travers du lit, s'efforçant — y réussissant même — de toucher les murs opposés de la pièce du bout des doigts et des pieds.

∗   ∗   ∗

Cette fois, ce qui avait retenu le regard de Hans sur ce casse-tête, c'était le moulin à vent quelque peu délabré situé à mi-hauteur du tableau, légèrement à gauche. Le moulin tient sur la pointe d'une structure de piliers et de pilotis, ce qui donne l'impression qu'en plus d'en faire tourner les ailes le vent berce tout le moulin. Il n'y a qu'un moulin dans le tableau, qui comporte pourtant beaucoup d'autres bâtiments. Il se trouve au bord d'un cours d'eau gelé sur lequel les gens semblent tout bonnement se promener. Curieusement, c'était comme si Hans voyait ce paysage pour la première fois. Comme s'il n'avait pas vécu toute sa vie aux Pays-Bas.

∗   ∗   ∗

Longeant les couloirs de l'aile détente de l'aérogare, l'homme qui n'avait pas l'air de lire ne s'étonne guère de la présence de grands tableaux sur les murs. Il est devenu une pratique courante d'afficher de l'art dans ce genre de lieu, enfin, de l'art inoffensif, mais des couleurs tout de même, jamais totalement dénuées d'effet.

Ayant perdu l'habitude de s'arrêter devant de tels affichages, l'homme avance comme il le fait systématiquement depuis quelque temps, c'est-à-dire sans but très précis, presque simplement pour passer le temps. Car c'est ainsi. Sans trop savoir pourquoi, il a besoin de laisser passer le temps. Dans cette errance, il aperçoit Claudia, assise face à un mur de fenêtres donnant sur les pistes d'envol, le dos tourné à un tableau de bleus et de verts entremêlés. Comme par hasard — l'homme qui n'avait pas l'air de lire est littéralement porté par le hasard, auquel il ne croit qu'à moitié —, Claudia tourne la tête à ce moment précis, et leurs regards se croisent. Pendant une fraction de seconde, l'homme croit impossible, pour un homme de son âge, de tout simplement aborder une jeune fille comme cela, comme un homme de son âge. C'est comme si la force des jours lui manquait.

* * *

C'est un peu dans la nature de Terry d'être pris dans les interstices. Celui du mardi et du mercredi, par exemple, c'est-à-dire au-delà de l'agressivité et de la tension du mardi, mais en deçà de la délivrance du mercredi, en deça de toute exigence.

— Je veux dire, c'est pas comme si on était déjà venus icitte pis qu'on savait qu'y'a des choses à faire le mardi à la place du mercredi.

Toujours étendu sur le lit, Terry examine maintenant le plafond de la chambre, n'y décèle rien de particulier.

— On peut juste aller se promener, ou se coucher. Es-tu pas fatiguée, toi?

— Même si j'étais fatiguée, je crois pas que je pourrais dormir. Je suis comme trop excitée. Un café me ferait pas de tort.

Terry se lève d'un coup sec, exhibe sa bonne humeur.

— Tu veux un café, ma belle, tu vas avoir un café.

Sur ce, il tire sa trousse de toilette de sous le lit — la salle de bains est trop exiguë pour qu'il l'y laisse — et se rend à son tour dans la petite pièce. Carmen ne déteste pas non plus lui parler dans ce sens, de la chambre à la salle de bains.

— On devrait aller dans le Marais.

— Quel marais?

— C'est un quartier d'artistes. Les rues sont pas larges.

— Pourquoi c'est qu'y'appelont ça le marais?

— Je sais pas. Ça devait être un marais avant.

— Avant quoi?

— Avant avant. Dépêche-toi. Je peux pus espèrer de sortir.

Terry achève de se brosser les dents, sort de la salle de bains.

— Je t'aime, ma belle.

— Moi aussi je t'aime. Hale-toi asteure.

* * *

L'homme qui n'avait pas l'air de lire se sent dans ce lieu comme dans un endroit universel, et donc, pour ne pas trop détonner dans le paysage, il tente une approche universelle. Il s'assoit non loin de la jeune fille, en prenant soin de la saluer discrètement. Claudia acquiesce poliment. Il ne pense pas pouvoir aller plus loin. Faut-il foncer ? Il aimerait connaître une façon de procéder qui ne serait pas trop moche. Rien ne vient. Puis :

— Vous n'êtes pas musicienne, par hasard ?

Claudia trouve quelque plaisir dans le fait que l'homme l'ait vouvoyée. Le pope-rabbin l'avait fait aussi et cela lui avait plu.

— Non.

Pas facile. Elle a à peine souri.

— Moi non plus.

L'homme qui n'avait pas l'air de lire croit la situation perdue. Quelque chose ne va pas se produire, il le sent.

— C'est bizarre comment, parfois, quelque chose ne se produit tout simplement pas.

Claudia entend les mots mais reste tout à fait perplexe. C'est le genre de phrase qui accroche, ou qui fait immédiatement décrocher.

— Pardon?

L'homme se ressaisit.

— Vous avez faim? Nous pourrions peut-être prendre une bouchée ensemble. En compagnie.

À sa grande surprise, la fille se lève et agrippe son sac.

— D'accord.

* * *

— Vous ne jouez pas d'un instrument à vent? C'est curieux. Je l'aurais cru.

Hans essaya de ne pas se laisser agacer par le côté voyante de la psychothérapeute.

— Beaucoup de gens viennent en Californie parce qu'ils n'imaginent aucun autre endroit où aller. C'est à la fois un acte d'espoir et un acte de désespoir. Un aboutissement, ou un dernier rempart. C'est particulièrement américain. Vous n'êtes pas américain?

Sans attendre de réponse, la femme s'était tournée vers la grande fenêtre donnant sur la baie et les villes de la rive opposée.

— Les San-Franciscains croient avoir inventé la baie vitrée. Ils mettent un *b* majuscule à *Bay window*. Ils ont aussi beaucoup d'aversion pour Oakland. Vous, vos aversions?

Franchement, cette femme n'était pas loin de lui en inspirer, mais Hans se retint pour ne pas le lui dire.

— La fin du continent, ça leur inspire la liberté, la légèreté, le renouvellement. L'effacement aussi, parfois. La disparition. Elle vous attire, la faille de San Andreas ?

La femme glissait ses questions ici et là dans son monologue, sans laisser beaucoup de place pour les réponses. Hans en conclut qu'il s'agissait d'une espèce d'exposé général de thèmes sur lesquels ils reviendraient plus en profondeur plus tard, au fur et à mesure.

— Vous ne répondez pas à mes questions. Elles sont trop brutales peut-être ?

La femme le regarda droit dans les yeux.

— Les trams ici voyagent à neuf milles à l'heure, et tous les San-Franciscains s'entendent pour les préserver. Le tremblement de terre de 1906 voyageait à plus de sept mille milles à l'heure et tout a été détruit. Cela revient à dire que la lenteur comporte des avantages, mais faites gaffe ! la vitesse frappe aveuglément. La ligne est mince entre la sérénité et l'indifférence.

Vendredi

L'amour

Claudia dispose aujourd'hui de tout le temps qu'elle veut pour errer sur le territoire. Pendant les premiers jours de son séjour, elle a surtout été occupée à faire le point et à bavarder avec ses parents. Tous les trois paraissent maintenant rassasiés de cette activité qui consiste à s'assurer que tout va bien et que chacun peut continuer sa vie comme bon lui semble. Elle profitera donc de cette journée pour poster la lettre que lui a remise l'homme qui n'avait pas l'air de lire.

— Je pourrais vous demander un petit service ?

Claudia n'avait rien contre.

— Je voudrais envoyer un mot à une femme. J'avais prévu, moi aussi, me rendre en Israël aujourd'hui, mais je viens de changer d'idée. Je voudrais tout de même que cette femme me croie en Israël.

Claudia trouva la proposition plutôt insolite, pour ne pas dire louche. Elle aurait eu des questions.

— Je sais que ça peut paraître bizarre. Mais c'est une femme que j'aime, je ne lui ferais aucun mal.

Claudia jugea qu'elle n'avait pas à se retenir.

43

— C'est une femme que vous aimez, et vous lui mentez?

— Je ne lui mens pas. Je lui crée du rêve.

* * *

— Ah… C'est vous. Je ne pensais pas que vous reviendriez.

En effet, Hans avait songé à mettre fin à cette thérapie.

— Parlons de la faille, si vous le voulez bien.

Mais Hans sait instantanément que ce sera surtout elle qui parlera. Et comme de raison…

— De la dérive des continents à la dérive des couples, il n'y a qu'un pas, vous savez.

La femme le regarde intensément. Hans se demande si elle s'attend à ce qu'il commente. Rien ne lui vient en tête.

— Vous avez déjà été amoureux?

Ici Hans pourrait répondre, mais la femme poursuit sans l'attendre. Eût-il pris tout cela au sérieux, il se serait cru dans un roman de Kafka.

— L'amour n'est en fait qu'une prédisposition. C'est d'y arriver qui fait qu'on y arrive. Vous comprenez?

Posant la main droite sur son bureau, la femme fait pivoter sa chaise pour contempler la vue de la Baie vitrée — avec le *b* majuscule, car Hans commence à se sentir san-franciscain. Il remarque alors que deux des doigts de la femme sont recouverts d'un sparadrap à la base de l'ongle. Décidément, quelque chose la ronge, pense-t-il. La femme se retourne de nouveau vers lui.

— Beaucoup de gens se jettent dans l'amour comme ils se jetteraient dans la faille, dans l'espoir qu'il se refermera sur eux. L'engloutissement leur paraît désirable. Pensez-vous qu'ils ne sachent pas mieux? Ne répondez pas. Les réponses sont toujours mauvaises le vendredi. On se tient sur la défensive.

Hans pense qu'il ne retirera probablement rien d'autre de cette prétendue analyse qu'un peu de divertissement, ce qui n'est pas rien.

— Vous vous êtes promené dans Tenderloin? Le manque se crée de lui-même, vous ne trouvez pas?

Puis la femme regarde nonchalamment sa montre, semblant trouver que le temps ne passe pas.

— Il y a des gens qui choisissent de vivre sur la faille, vous savez. Ils s'installent dans des maisons neuves en sachant très bien. Certains font abstraction, d'autres pas du tout. Pour ceux-ci, chaque jour est un gain. Ils arrivent ainsi à croire qu'ils ne manquent de rien. En amour, c'est pareil. Il y en a qui gagnent à faire en sorte que tout soit perdu d'avance.

Et à la fin, quand Hans s'apprête à la payer, la femme aux doigts rongés refuse son argent.

— Non. Pas aujourd'hui. Donnez-le à des mendiants, plutôt. Il y a des jours où il faut se tenir loin de toute considération financière.

* * *

Après avoir apposé le timbre, Claudia s'arrête et, pour la première fois, regarde avec curiosité l'enveloppe qu'elle a accepté de mettre à la poste pour l'homme qui n'avait pas l'air de lire. Elle la tourne, la retourne. Bien qu'elle en connaisse le contenu — car l'homme lui avait tout naturellement fait lire le mot qu'il adressait à cette femme —, Claudia se demande si elle n'est pas devant un message codé, si cet homme qui se dit peintre n'est pas, au fond, un espion, ou quelque chose du genre.

— Ex-peintre, à vrai dire. Mais j'ai encore des tableaux sur le marché. Ils se vendent trop cher, mais que voulez-vous…

Il lui avait aussi dit son nom, mais sans insister, et Claudia n'avait pas jugé utile de le retenir. De toute façon, il avait l'air de vraiment aimer cette femme. Il avait cacheté l'enveloppe avec douceur, sans se presser.

— C'est vrai que vos parents ne vous manquent pas?

La question avait surpris Claudia. Elle se demande maintenant pourquoi.

— Pardonnez-moi. Je ne voulais pas être indiscret. Je vous ai entendu parler à votre voisin dans l'avion, le pope.

Claudia n'avait pas su quoi dire. L'homme, sentant que la conversation allait peut-être sombrer, avait voulu la mettre à l'aise.

— Oubliez cela. Ça n'a pas d'importance. Je suis gauche parfois.

Pendant un moment, ils s'étaient laissé ballotter par le va-et-vient des gens autour d'eux dans le restaurant. Puis Claudia avait décidé de rompre le silence.

— Et vous, elle ne vous manque pas ?

L'homme ne s'était pas empressé de répondre, mais il avait fini par dire :

— Le manque, c'est l'envers du rêve.

Et sur ces mots, il avait remis l'enveloppe à Claudia.

* * *

Terry est un peu vexé.

— Ben, si tu veux te débarrasser de moi, t'as yinque à le dire.

— Geeze, t'es pas romantique…

— Quoi c'est qu'y'a de romantique là-dedans ?

— Je dis juste que, si on se perdait, dans le métro ou de quoi de même, au lieu de se chercher et de pas savoir où c'qu'on est, on devrait juste continuer notre journée tout seuls. Chacun de notre bord. Pis moi je t'achèterais un petit cadeau, pis toi tu m'achèterais un petit cadeau.

Terry ne voit vraiment pas l'utilité de faire semblant de se perdre.

— Ben, la manière que t'as dit ça, on dirait que tu veux qu'on planifie de se perdre. On peut décider de passer une journée chacun tout seul si c'est ça que tu veux.

Carmen n'avait pas pensé jusque-là.

— Me semble que c'est plusse excitant si on se perd. Sans faire par exprès. Ça arriverait quand on s'y attendrait pas. Ça serait plusse mêlant.

Terry ne répond pas tout de suite, mais cela réfléchit en lui. En fin de compte, il propose une sorte de compromis.

— Je veux pas te perdre. Ben si ç'arrive, on fera comme tu veux.

Carmen se tourne vers lui dans le lit, l'embrasse.

— Je t'aime.

— Moi aussi je t'aime, quoi c'est que tu crois? Pis oublie pas que t'es enceinte. C'est à moitié moi cette affaire-là.

* * *

Une accalmie avait gagné le restaurant. La serveuse eut le temps de venir leur demander si tout allait bien. Tout allait bien.

— Il a attiré mon attention lorsqu'il a parlé de la joie sans repère. Je n'avais jamais entendu cette expression auparavant. C'est un concept intéressant, non?

Claudia aimait l'entendre parler, mais ses questions la laissaient souvent perplexe.

— Je ne sais pas. C'est religieux?

L'homme haussa les épaules.

— Cela pourrait exister en dehors de la religion, j'imagine.

— Je ne pratique aucune religion.

— Moi non plus. Mais de temps en temps j'entre dans une église. Ou un temple. Ou une mosquée. Pour me reposer quand j'ai beaucoup marché.

Claudia sentit qu'elle pourrait devenir amoureuse d'un homme comme lui, se demanda si ce n'était pas déjà fait.

— Vous avez des enfants?

— Non.

— Vous n'en vouliez pas?

— Pas spécialement. Je n'étais pas contre, mais ça ne s'est pas produit. Maintenant, je ne sais pas.

L'homme brasse inutilement son café avec sa cuillère.

— Les gens ont commencé à dire que ma progéniture, ce sont mes toiles.

Il retire la cuillère de la tasse et la pose dans la soucoupe, hausse les épaules.

— C'est le genre d'idée contre lequel il est inutile de se battre. Et vous? Vous voulez des enfants?

— Je ne sais pas.

— Vous avez un copain? Un amoureux, je veux dire?

— Non.

Il y eut un autre silence, que Claudia put rompre encore une fois. Sa facilité à rompre le silence de cet homme l'étonna.

— Moi, je vous avais un peu remarqué. De côté. Vous n'aviez pas l'air de lire.

∗ ∗ ∗

Ma femme. Oui, de cet enfer où je me trouve, j'ose encore t'appeler ainsi, même si tu te sens trahie. Les jours passent mais la colère ne s'apaise pas en toi. Tu fais de grands efforts pour ne pas la laisser paraître devant notre fils. Tu te doutes bien qu'un jour tu n'arriveras plus à te contenir devant lui.

Je ne sais pas où j'ai puisé la force de t'avouer que j'avais une amante. Je savais que tu ne t'en doutais nullement. Les circonstances de la vie m'ont tellement facilité les choses que je n'ai eu aucune difficulté à te cacher cette histoire. Ta confiance absolue en notre couple, et en moi, m'a trop bien servi.

Au début, j'étais persuadé que ce serait un amour passager. Une petite déroute. Un détour nécessaire, pour une raison ou une autre. J'avais l'impression de vivre une histoire presque sans importance, qui ne t'enlevait rien. J'ai donc jugé mieux de la taire plutôt que de t'ébranler inutilement. D'une fois à l'autre, je me voyais mettre fin à cette relation, et puis, d'une fois à l'autre, je n'y parvenais pas.

Tu sais que je revenais de chez elle quand j'ai eu cet accident. Cette fois-là aussi, je prévoyais mettre un terme à cette relation. Et cette fois-là non plus, je ne l'ai pas fait. Si je l'avais fait, et que j'avais quand même eu cet accident bête, cette femme t'en aurait certainement informé. Elle aurait eu le cœur de te dire qu'en fin de compte c'était toi que j'avais choisie. Cela t'aurait peut-être apporté un peu de réconfort. Mais cela ne s'est pas produit, car ce jour-là non plus, je n'ai pas su mettre fin à cet ensorcellement.

Tu crois que je me suis suicidé pour me soustraire à ce choix. Tu crois que j'ai été lâche à ce point. J'aimerais penser que ce n'est pas ainsi. J'aimerais penser que j'aurais fini par faire la bonne chose, par faire en sorte que tu aies toujours, au fond de toi, la certitude que c'est à toi que je tenais d'abord et avant tout. Cela non plus ne s'est pas produit. Et tu ne sais pas aujourd'hui — et tu ne le sauras peut-être jamais — que c'est en toi et par toi que je voulais vivre.

∗ ∗ ∗

La femme qui ne fume qu'en public se tire à grand-peine de son sommeil. Même si elle s'est couchée tôt la veille, elle se sent paresseuse. Elle se lève malgré tout et démarre le train-train matinal qui finit par donner jour au jour.

Dans le détail cependant, la femme est consciente de ne pas être tout à fait comme de coutume. Les choses — cuillère, capuchon d'un flacon de crème, clés d'appartement — lui glissent des mains, et, comme si cela n'était pas suffisant, vont se nicher dans des recoins difficiles d'accès, nécessitant force et contorsions pour se laisser récupérer. Sans parler du retard que cela lui fait prendre, car la routine du matin, parfaitement rodée, laisse peu de place à l'imprévu, tolère mal les petites entraves.

En réussissant, à l'aide d'un mètre en bois, à récupérer de sous le buffet son trousseau de clés — et les quelques rouleaux de poussière qui s'y sont accrochés —, la femme se rend compte qu'elle n'avait pas l'habitude de perdre patience pour si peu. Elle pense au temps où il vivait encore avec elle : il avait eu beau lui compliquer la vie de nombreuses petites façons, jamais elle ne s'en était plainte. C'était d'ailleurs une des choses qu'elle aimait de sa vie avec lui, le fait qu'il réussisse souvent à embrouiller les contours du quotidien.

* * *

Terry ne parvient pas à s'endormir. Il pense à la manière dont il occuperait sa journée si jamais, un matin, Carmen lui faisait faux bond dans Paris. Il constate que ce qu'il aimerait par-dessus tout serait de traîner ici et là dans les cafés, un peu comme il avait l'habitude de le faire à Moncton. Le Paris des repères célèbres, des musées et des églises ne l'attire pas beaucoup. Il ne sent pas le besoin de se cultiver de cette façon-là. Il en profiterait aussi pour envoyer des cartes postales, à son père notamment, qui lui a avancé une partie de l'argent pour le voyage. Ayant entendu dire que les voyages forment la jeunesse, ce maître débosseleur n'a pas voulu priver son fils d'une expérience profitable, bien qu'il ait souvent déploré son mode de vie quelque peu irresponsable. Mais depuis un certain temps, l'homme qui avançait en âge trouvait que son benjamin prenait sa vie un peu plus au sérieux.

— Tu veux me dire que tu y'as pas dit que j'étais enceinte?

Carmen n'en revenait pas.

— C'était pas utile de le boloxer.

Carmen soupire, n'en revient toujours pas.

— Y t'aurait peut-être pas prêté l'argent.

Terry hausse les épaules.

— Y'a de l'argent en masse.

— Ben, quand même. T'aurais dû y dire. Au moins pour être honnête.

— O.K. O.K. J'y écrirai.

— …

— …

— Surtout que t'arrêtes pas de le dire à tout le monde.

— …

— …

— C'est pas pareil. Icitte y nous connaissont pas.

* * *

53

— Vous ne parlez pas beaucoup de vous-même.

Claudia était justement en train de penser que lui parlait assez facilement de lui-même. Sans qu'il en ait trop dit, elle sentait qu'elle avait déjà une bonne idée de sa vie. Pas dans le détail — et peut-être que, dans le détail, elle ne le trouverait pas aussi attachant —, mais au moins dans une perspective globale. Cet homme lui plaisait.

— Je n'ai pas grand-chose à dire.

— Je comprends. Moi non plus, au fond, je n'ai pas grand-chose à dire. Et plus ça va, plus j'ai l'impression que la vie se répète et que moins j'en ai à dire.

Une femme passe près de leur table en tirant par la main un gamin qui pleurniche. La femme semble à bout de patience. Le garçonnet aussi.

— Vous voyez ce que je veux dire? Il y a toujours des mères à bout de patience et des enfants qui pleurent. C'est légitime, et c'est triste. Et il n'y a pas grand-chose que l'on puisse faire. Il faut être patient. La vie est bonne pour cela, exercer sa patience.

L'enfant pleure maintenant plus fort. La mère n'arrive pas à le tranquilliser. Rien n'y fait, ni le ton ferme ni la douceur. L'homme observe la scène discrètement.

— Si je m'écoutais, j'irais essayer de les distraire. Autant la mère que l'enfant. Peut-être que ça changerait la dynamique.

— Pourquoi pas? Allez-y.

L'homme se lève, s'approche de la table, s'adresse à la femme, qui a l'air un peu hostile mais qui se radoucit peu à peu. Claudia n'entend pas ce qu'ils se disent.

L'enfant regarde l'homme qui parle à sa mère, finit par se calmer un peu. L'homme qui n'avait pas l'air de lire s'adresse maintenant à lui. Le garçonnet ne répond pas, mais il écoute.

* * *

Vivre. Mais qu'est-ce que vivre? Depuis cet accident — mais qu'est-ce qu'un accident? —, je n'ai plus les moyens de le comprendre. La mort met vraiment un terme à beaucoup de choses. Tu te souviens de ce voyage que nous avions fait au Labrador? C'était au début de notre mariage, lorsque tout était encore possible. Rappelle-toi ce jour où nous avons longtemps marché le long de la rivière. Nous nous sentions merveilleusement bien dans cette nature sûre d'elle-même, plus grande que tout. Tu te souviens du premier saumon que nous avons vu sauter hors de l'eau pour remonter le courant? Nous en étions tout émus. Puis il y en a eu un autre, et puis un autre. Chaque fois tu serrais ma main plus fort, et chaque fois j'aurais voulu être ce saumon pour toi, remonter le courant jusqu'à toi pour toujours.

Je ne sais pas trop pourquoi j'évoque ce souvenir. Peut-être parce qu'ici, dans l'aile des suicidés exacts, plus rien ne remonte, plus rien ne s'efforce, plus rien ne veut. Tout vouloir s'abolit de lui-même.

55

Terry se réveille après avoir dormi solidement pendant quelques heures. Le projet qui l'a longuement empêché de s'endormir — celui, éventuellement, de devancer Carmen à son propre jeu — reste avec lui.

Au petit-déjeuner, ils parlent de ce qu'ils feront ce jour-là. Ils ne se sont pas encore promenés dans le coin de Montmartre, décident de s'y rendre. Ils se penchent sur la carte du métro, déterminent le parcours, se mettent en route. Il fait doux, le soleil réchauffe leur visage.

Le métro n'étant pas bondé, Terry et Carmen peuvent s'asseoir ensemble. Ils observent le va-et-vient des gens aux arrêts successifs. Terry fait l'effort de paraître tout à fait calme, mais au fond il brûle d'impatience. Puis, à une station sans intérêt particulier, juste avant que les portières du wagon se referment, il se lève d'un bond, colle un petit baiser rapide sur la joue de Carmen et gagne le quai, d'où il agite la main et affiche un sourire tendre à Carmen, qui s'éloigne déjà. Il a bien vu à son expression que Carmen ne s'attendait pas du tout à ce qu'il prenne les devants dans cette histoire, mais elle finit par rire et lui souffler un baiser, ce qui lui fait chaud au cœur. Il attend que le wagon s'engouffre dans le tunnel avant de se diriger vers l'escalier.

* * *

Au travail, la femme qui ne fume qu'en public met une grosse heure à retrouver son aplomb habituel. Au clavier, elle n'a cessé d'inverser les lettres, petite dyslexie matinale qui ne l'étonne guère, car de toute façon elle a l'impression de s'être rendue à son bureau par flottement plutôt que par les moyens de transport coutumiers. À midi, quand vient le temps de s'arrêter pour manger, elle s'aperçoit qu'elle a complètement dépassé son état somnambule et qu'elle a abattu bien plus de boulot qu'elle ne s'en serait crue capable. Au restaurant du coin, où elle aime aller le vendredi, elle met une vingtaine de minutes à sortir peu à peu de son état de concentration extrême et à revenir à un état normal. Et en fin de compte, elle est contente de n'avoir donné rendez-vous à personne et profite de ce moment de répit pour s'aérer l'esprit.

En retournant au bureau après son repas, elle envisage de finir en douceur sa semaine de travail. D'avance elle décide de refuser toute invitation de ses collègues à prendre un verre, comme cela arrive souvent le vendredi soir. Elle rentrera directement chez elle, se versera un peu de vin et prendra son temps avant de grignoter des restes et de regarder des émissions de télé enregistrées au cours de la semaine. Puis, en se brossant les dents avant d'aller au lit, elle tâchera de se convaincre encore une fois qu'elle n'est pas en train de sombrer, de devenir trop sauvage.

* * *

Sorti du métro, Terry marche un bon quart d'heure avant de s'arrêter dans un café. Il y observe longuement la faune locale et fait le plein de fumée secondaire avant de prendre son courage à deux mains pour s'informer de ce qu'il faut faire pour téléphoner à son père. Car, tout juste avant de s'endormir aux petites heures du matin, il a décidé de lui téléphoner au lieu de lui écrire. Cette décision tient toujours.

La procédure s'avère moins compliquée qu'il ne l'avait craint, et, dans le temps de le dire, il entend la voix de son père au bout du fil.

— Pape?

— Terry! Où c'que t'es?

— À Paris!

— Y'a-ti de quoi qui va mal?

— Non, non, ça va vraiment ben. Y'avait juste de quoi que je voulais te dire...

Terry hésite quelque peu, ne sait pas trop comment continuer. Son père a le temps de s'inquiéter.

— Ben, quoi c'qu'y se passe?

— Ben, je... j'aime Carmen.

Son père ne comprend pas, attend la suite. La suite ne vient pas. Il croit que la communication est peut-être rompue.

— Allô?

— Oui, oui. Je suis là.

— T'appelles juste pour nous dire ça?

— Ben... c'est que... a l'est enceinte.

58

— Déjà?!

— Je veux dire, a l'était enceinte avant de partir.

— De toi?

— Ben oui, quoi c'que tu crois!

Pendant un autre petit moment, ni le père ni le fils ne savent plus quoi dire. Puis Terry fait un effort.

— Carmen trouve que j'aurais dû te dire avant. À cause de l'argent.

— Quel argent?

— L'argent que tu m'as prêté. Pour le voyage. Ça change-ti de quoi, pour l'argent je veux dire?

— Allez-vous vous marier?

— Je sais pas. On n'a pas parlé. Ben je croirais qu'a voudrait se marier.

Troisième petit silence. Terry se sent pourtant la force de continuer.

— Ben, t'auras pas besoin de payer pour ça aussi. On s'arrangera. Mame est-ti là?

— A l'est partie à la messe.

— Tu vas y dire, ein?

— Ça fait-ti longtemps?

— Presque trois mois.

Comme son père ne dit rien, Terry décide de miser sur Carmen.

— A l'a été un petit brin malade au commencement, ben asteure c'est mieux.

— A l'est-ti grosse?

— Non. Ça paraît presque pas encore.

Terry sent qu'il n'est pas utile de prolonger la conversation.

59

— Pape?

— Quoi?

— Vas-tu être O.K.? Jusqu'à tant que Mame arrive, je veux dire?

* * *

Ayant adressé l'enveloppe destinée à la femme qu'il disait aimer, l'homme qui n'avait pas l'air de lire avait voulu ranger sa plume dans la poche de son veston, mais s'était ravisé.

— Je vous la donne, si vous la voulez. En guise de souvenir.

Claudia avait pris la plume que l'homme lui tendait, l'avait examinée. Elle était plus lourde qu'elle en avait l'air.

— D'accord.

Claudia cherche maintenant cette plume dans son sac à main. Elle sort aussi un carnet, y inscrit le nom et l'adresse de la femme de l'enveloppe. Elle habite dans une ville que Claudia a déjà visitée, et où elle pourrait bien se rendre de nouveau un jour.

Lundi

Le rêve

Encore une fois, la femme qui ne fume qu'en public se tire du lit de peine et de misère. Cela n'a aucun sens : plus elle se repose, plus elle est fatiguée.

Elle met d'abord la cafetière en marche, puis descend chercher le journal, remonte sans en avoir lu les grands titres, dépose le journal sur le coin de la table en se rendant au frigo pour sortir les aliments habituels du petit-déjeuner. Elle allume le poste de radio, un réflexe. Va aux toilettes, revient, verse le café. Et ainsi de suite. Un peu plus tard, en s'habillant, elle fait un gros effort pour ne pas penser à tout le travail qui l'attend, se promet de se distraire. Puis se rend compte qu'elle ne sait plus trop comment s'y prendre. Rêve un moment de tout abandonner et partir. Mais elle sait que ce n'est pas encore le moment, se demande s'il y aura jamais un bon moment. Craint de ne pas le reconnaître si jamais il se présente. Ou, pire encore, de le reconnaître mais de s'en détourner, de ne pas saisir l'occasion. Se demande s'il fut réellement un temps dans sa vie où tout eût été possible.

* * *

Carmen sautille hors du lit.

— T'es ben excitée! Quoi c'qu'y se passe?

— Rien. Je sais pas. Je suis comme toute réveillée à matin. Ayoye!

Carmen s'est cogné un orteil sur la patte du lit en se rendant à la salle de bains.

— Ça t'apprendra.

Terry entend le filet d'urine couler dans la cuvette, aime même cela d'elle. Il se rendort à moitié en attendant qu'elle revienne. Mais Carmen prend son temps.

— Ben, quoi c'que tu fais?

— Je commence à avoir une bedaine. Y'était temps! J'étais pus sûre que c'était vrai toute cette histoire-là.

Elle revient dans le lit. Terry l'enlace sous les couvertures, passe sa main sur son ventre.

— Faudra y trouver un nom.

— Je crois que ça va être une fille.

— C'est-ti ça que t'aimerais?

— Non. Une fille, un garçon, ça me fait pas d'diffarence. J'espère qu'y braillera pas trop. J'aime pas les bébés qui braillent.

— Faudra que tu t'accoutumes.

— Je sais.

Ils ne parlent pas pendant un moment. Puis:

— Aujourd'hui on devrait aller dans des librairies et lire sur ça, être enceinte, les bébés, l'accouchement. On pourrait ben acheter un livre là-dessus, tant qu'à ça.

— Faudra-ti que je le lise moi aussi ?

— Ça ferait pas de tort. Je veux dire, après toute, c'est toi la mére…

— Bon point.

Ils restent étendus encore un peu, puis la journée prend tranquillement son élan. Ils font leur toilette, et Carmen étrenne le cadeau que Terry lui a rapporté au terme de leur journée en solitaire, soit un ensemble de sept petites culottes, une pour chaque jour de la semaine. Il avait aimé que les jours soient écrits en français.

* * *

L'homme qui n'avait pas l'air de lire avait subitement décidé de se rendre à Copenhague plutôt qu'en Israël. Il n'était jamais allé au Danemark et n'avait pas à faire là en particulier, ce qui constituait deux raisons suffisantes.

Il erre d'abord dans les rues de la capitale, puis se rend à Odense, simplement pour voir un peu plus de pays. De temps à autre son oreille capte une langue qu'il comprend.

— Vous vivez au Danemark, mais vous ne vivez pas comme des Danois.

L'homme qui n'a pas l'air de lire suit la conversation des deux cols blancs attablés non loin de lui.

— Est-ce un reproche ?

— Je dis simplement que vous trahissez votre

identité. C'est pour cette raison qu'on lit vos articles avec suspicion.

Les deux hommes mangent un moment en silence.

— Et puis, vous vous êtes trompé sur Maastricht, et vous avez retourné votre veste face à l'euro.

Celui à qui sont adressées ces remarques cinglantes continue de mâcher, puis boit une gorgée de vin.

— Alors, vous pensez que je suis foutu ?

Son interlocuteur prend le temps de réfléchir avant de répondre.

— Ça dépend. Peut-être pas. Mais attention au virage. En ce qui vous concerne, je ne sais pas s'il vaut mieux ralentir ou accélérer. Les travestis, vous savez...

* * *

— À cause pas ?

— Je sais pas. On dirait juste que ça te va pas.

Carmen attend un moment avant de dire le reste de sa pensée, au cas où il ne serait pas nécessaire d'aller jusque-là.

— Ça te donne un air fifi.

Elle savait que ce n'était pas un mot à utiliser à tort et à travers.

— Un air fifi ? !

Terry se regarde de nouveau dans le miroir, essaye de voir ce que Carmen voit. Non seulement il ne voit pas, mais il aime beaucoup ce manteau.

— Je vois vraiment pas ça qu'y'a de fifi là-dedans.

Il boutonne l'encolure, relève le col, se tourne un peu vers la gauche, un peu vers la droite. Carmen voit qu'il a l'air de tenir à ce manteau, tente d'adoucir le coup.

— Comme ça, c'est pas si pire… C'est peut-être la couleur. On dirait que ça brille.

— Ç'a-ti l'air cheap ?

Carmen croit déceler un doute dans l'esprit de Terry, mais elle se retient de répondre rapidement. Elle ne veut pas donner l'impression de profiter de cette hésitation.

— Manière, oui.

Les mains dans les poches, Terry se tourne encore un peu à gauche, puis un peu à droite devant la glace.

— Je suis sûre que tu peux faire mieux.

Terry a maintenant l'air incertain. Carmen n'aime pas le voir ainsi.

— Ben, si tu l'aimes vraiment si tant que ça… Y'est pas trop cher.

Terry enlève le manteau, le remet sur le cintre.

— Je sais pus. Je vas y penser.

Une fois dans la rue, il ajoute :

— Tu trouves vraiment que ç'a l'air fifi ?

* * *

Claudia regarde revenir l'homme qui laisse derrière lui une femme charmée et un gamin apaisé.

67

— Qu'est-ce que vous leur avez dit ? Ils ont vraiment l'air mieux.

— Pas grand-chose. C'est peut-être ma voix. Ma mère disait que j'avais une voix d'extinction.

L'expression surprend Claudia. L'homme hausse les épaules, rit un peu.

— Je n'ai pas su si c'était tout à fait un compliment, mais par contre elle insistait pour que je lui téléphone souvent. Il lui importait peu que je vive au loin, à condition que je lui téléphone, qu'elle puisse entendre ma voix.

Claudia écoute l'homme en essayant de découvrir ce que la mère avait voulu dire. En effet, peut-être a-t-il une voix un peu jetée dans le vide.

— Elle habitait où, votre mère ?

— Dans la campagne près de Dijon. Elle n'est pratiquement jamais sortie de son petit village.

L'homme est devenu pensif. Claudia n'ose pas trop le regarder. Puis il s'adresse à elle.

— Vous aussi, vous avez sûrement une force, un pôle — comment dire ? — indéchiffrable.

Claudia est décontenancée par le propos doucement amené, mais qui a néanmoins quelque chose de déroutant.

— Peut-être. Je ne sais pas.

L'homme pose sa main sur la sienne, la regarde sans méchanceté aucune :

— Un jour, vous le saurez. Et ce jour-là, si j'ai un peu de chance, vous penserez à moi.

L'homme resserre un peu sa main sur la sienne avant de retirer son bras. Puis il consulte sa montre.

— Bien. Il faut que j'y aille maintenant.

Il se lève, règle l'addition et revient prendre le reste de ses affaires. Il esquisse un petit salut en guise d'adieu, ou d'au revoir — Claudia ne peut en conclure.

— Encore une fois, merci.

Ensuite, il laisse s'écouler une seconde ou deux avant de prononcer ses derniers mots :

— Soyez heureuse.

* * *

Ce jour-là, Hans remarque que les sparadraps ont changé de doigts. La femme devant lui a aussi modifié sa coiffure, devenue un arrangement inouï de cheveux bouclés et de cheveux droits.

— Vous aspirez à ne devenir personne, n'est-ce pas ?

Encore une fois, la femme n'attend pas de réponse.

— Plus encore, vous croyez que vous deviendrez quelqu'un en ne devenant personne. C'est plutôt ancien comme dilemme.

Là-dessus, la femme se retourne vers la Baie vitrée. Hans considère qu'elle tourne ainsi le dos à toute réponse qu'il pourrait donner et conclut de façon définitive qu'il n'est pas là pour parler de lui.

— Vous savez que ce sont davantage les incendies

que les tremblements de terre qui ont ravagé San Francisco? Les tremblements de terre n'ont certainement pas aidé, mais un malheur n'arrive jamais tout seul. Un bonheur non plus n'arrive jamais tout seul.

Le femme se retourne maintenant vers lui. Hans note que sa chaise pivotante est bien huilée.

— En ce moment précis, vous ne pensez pas à ce que je viens de dire, n'est-ce pas?

En effet, Hans est en train de se dire qu'il achèterait un peu d'huile pour le fauteuil grinçant qui meuble sa chambre.

— Ça non plus, ça n'a pas d'importance. L'important, au fond, c'est que beaucoup de gens arrivent ici remplis de l'espoir ultime de se réaliser, de faire quelque chose de leur vie. Et que chaque année, des centaines d'entre eux se jettent en bas du Golden Gate. Au fait, vous l'avez traversé à pied, ce pont?

Au fait, non, Hans ne l'a jamais traversé à pied.

* * *

Et, comme si l'accident n'avait pas suffi à me mettre en pièces, fallait-il en plus que les enquêteurs bâclent leur travail? S'ils l'avaient fait correctement, ils se seraient bien rendu compte que je tentais de fermer le coffre à gants quand ce satané coup de roue m'a fiché dans la voie du semi-remorque. Ne m'ont-ils pas trouvé à moitié étendu sur le siège du passager, les doigts sectionnés dans le compartiment ouvert ? Et s'ils avaient pris soin de voir si c'était la radio ou le lecteur de cassettes qui fonctionnait au moment du coup brutal, ne se seraient-ils pas posé quelques questions additionnelles ? On ne choisit pas de mourir sur n'importe quelle musique, tout de même.

Ici, quand je pique une colère, ils me regardent à peine, ne me gratifient même pas d'un à-quoi-bon. Tout cela leur semble dérisoire. Je soupçonne qu'ils aimeraient que je renaisse, que je me réincarne, que je leur foute la paix. À leurs yeux, mes explications ne tiennent pas. Pour eux, et ici je pèse mes mots, l'erreur n'est qu'humaine. J'avoue qu'à la longue cette perspective finit par ouvrir des brèches et me trouer la raison.

* * *

— Vous avez eu un petit bonheur récemment. Peut-être hier, ou avant-hier. Cela vous a fait un effet. Ça se voit.

C'était vrai que dans la lumière de sa nouvelle chambre dans Telegraph Hill, Hans avait découvert le gris-vert de la glace au pied du moulin de son casse-tête. Cette couleur lui avait paru tout à fait juste et délicieuse, et il avait réussi à en rassembler tous les morceaux. Le casse-tête avance, et cela aussi rend Hans joyeux. Il a même espéré revoir le cow-boy des vignobles de Napa pour lui dire que sa folle entreprise progressait.

* * *

— Pis? Comment c'que t'aimes tes petites culottes?

Terry et Carmen sont assis à une terrasse en train de prendre un café.

— Fiou! Je croyais pas que t'allais me parler aujourd'hui.

— À cause?

— Je sais pas. T'as presque pas parlé depuis à matin. J'aimerais ben saouère à quoi c'que tu penses?

— Pas grand-chose. Je suis juste dans ma tête.

L'humeur de Terry était d'autant plus déroutante qu'il faisait merveilleusement beau, une vraie journée de printemps.

— En tout cas, j'aimerais ça moi aussi être dans ta tête.

Terry hausse les épaules.

— C'est une place comme un autre, je crois ben.

* * *

La thérapeute entretient encore Hans de choses et d'autres, puis met fin à leur rencontre. En le conduisant à la porte, elle lui demande:

— Qu'est-ce que vous ferez demain?

Hans n'y avait pas encore songé.

— De tous les jours de la semaine, c'est le mardi que les suicidaires choisissent le plus souvent pour se jeter en bas du Golden Gate. C'est un jour d'attaque.

Hans reste figé, mais quelque chose comme un courant d'air lui balaye l'intérieur.

* * *

L'homme qui n'avait pas l'air de lire passa plusieurs jours au Danemark, à capter des conversations auxquelles il comprenait à la fois tout et rien, avant de se rendre à Paris.

Assis dans un café, il crut reconnaître le jeune homme croisé à la porte des toilettes sur le vol qui l'a récemment mené de Boston à Londres. La jeune femme assise avec lui pourrait effectivement être en début de grossesse, mais cela paraît tout juste. Les deux jeunes se parlent, mais ils ont aussi l'air de s'embêter un peu. L'homme prête l'oreille.

— Pourquoi c'est encore qu'y faullait passer par Londres?

— C'était plus cheap pour des billets ouverts.

— C'est vrai. T'es smarte pareil d'aouère toute démêlé ça pis de nous avoir rendus jusqu'à icitte.

L'homme qui n'avait pas l'air de lire ne s'y connaît pas tellement en langues, mais il se dit que les jeunes doivent parler le créole.

— Quand c'est qu'on va à Arles?

— J'ai pas encore fini de regarder à ça. Peut-être qu'on commencera à Lyon. Ça presse pas, ein? J'aime comme ça icitte.

L'homme n'est plus certain qu'il s'agit d'un créole pur.

— Faudrait peut-être pas espèrer trop longtemps. On pourra tout le temps venir back icitte. Après le delta, je veux dire.

Les deux jeunes se taisent pendant un moment. Puis :

— Ça serait bon une cigarette juste asteure, ein?

— Crisse oui.

* * *

Comme d'habitude après ses rendez-vous, Hans a pris son temps avant de rentrer chez lui à pied. Il s'est arrêté pour manger, s'est laissé distraire ici et là, s'est attardé devant quelques vitrines. De retour à sa chambre, il s'est allongé sur le lit pour faire un petit somme, les jambes croisées, les mains derrière la tête. Au réveil, il a longuement examiné sa chambre, les murs blancs, les rideaux transparents aux fenêtres, les majestueuses poutres couleur miel soutenant le plafond.

Toujours allongé sur le lit, il compte les petits diamants qu'il a sortis de la pochette en toile qu'il porte autour du cou. Il lui en reste encore six.

* * *

Ce soir-là, la femme qui ne fume qu'en public lit ici et là quelques pages de Gorki, afin de voir ce qui l'attend. Elle tombe assez vite endormie, puis se réveille en sursaut. Elle ne regarde pas l'heure, prend le téléphone.

— Mais qu'est-ce qu'il y a?

— Je ne sais pas. Je suis prise de frayeur.

— Où es-tu? Chez toi?

— Oui.

— J'arrive. Ne bouge pas.

On frappe à la porte quelques minutes plus tard. Personne ne circulait dans la rue sombre. L'amie aime ce genre de crise.

— J'ai apporté mes affaires. Je dormirai ici.

Elles s'installent dans le salon avec des tisanes.

— Mais tu vois bien que ça ne peut plus durer! Tu veux souffrir ou quoi?

L'autre ne dit rien.

— L'amour, je veux bien. Mais lui, c'est l'être ET le néant.

L'autre ne dit toujours rien.

— Tu devrais prendre des vacances, faire un voyage, voir des gens.

L'autre hausse les épaules comme si rien de cela ne s'appliquait à elle.

— Je te dis ça pour ton bien. Tu ne te vois pas. On dirait que tu es en train de mourir.

L'autre soupire, un peu d'accord.

— Je ne sais pas ce que tu lui trouves. C'est vrai, il est attachant. Il a du charme. Mais c'est un rêveur. Il te faut quelqu'un de plus… de moins… aérien.

La femme qui ne fume qu'en public ne dit toujours rien. Puis une seule chose lui vient.

— Je sais que c'est difficile à comprendre, mais je l'aime.

L'amie se cale dans le fauteuil et feint le découragement, mais au fond, elle aime bien cette impasse.

Mercredi

Le négoce

Le diamantaire examine en silence l'un des petits diamants, puis un autre, et encore un autre. En fin de compte, il les examine tous les six. Hans est assis en face de lui, de l'autre côté d'un meuble qu'il ne qualifierait pas de bureau, le regarde faire.

L'homme consulte ensuite un cahier de référence, s'y retrouve facilement, ne laisse rien paraître de ce qu'il cherche ou de ce qu'il trouve, ou ne trouve pas, n'exprime ni surprise ni satisfaction. Hans observe les préoccupations muettes du diamantaire en se demandant s'il a bien fait de choisir une bijouterie au hasard.

L'homme se lève enfin.

— Vous permettez?

Il place la pochette de toile à plat sur la paume de sa main, y dépose les six petites pierres précieuses, passe dans une autre pièce, toujours sans rien dire. Hans lui fait confiance. Le diamantaire lui paraît humble.

Le diamantaire réapparaît, gagne sa place de l'autre côté du meuble. Il étale soigneusement la pochette aux diamants à plat sur la surface du meuble avant de s'asseoir. Une fois assis, il appuie les coudes sur le meuble, appuie les mains l'une contre l'autre, comme en position de prière, mais un peu lâchement, sans toute la ferveur de la prière. Puis il souffle de façon saccadée sur le bout des doigts qui touchent le centre de ses lèvres.

* * *

Depuis qu'elle l'a postée, Claudia ne cesse de penser à la lettre de l'homme qui n'avait pas l'air de lire.

— Tu as l'air soucieuse. Quelque chose ne va pas?

— Je crois que j'ai hâte de rentrer. Je tourne un peu en rond ici.

Claudia sait qu'elle peut dire ce genre de chose à sa mère sans l'offusquer.

— Dommage que nous n'ayons pu nous libérer davantage, mais ton père a tellement à faire.

— Il a l'air fatigué.

La mère laisse passer un moment avant de reparler.

— Je lui ai fait beaucoup de peine récemment.

L'aveu étonne Claudia.

— J'avais l'intention de tout te raconter, mais la force m'a manqué. Maintenant le temps me bouscule un peu.

La mère fait une autre pause, trouve le courage de continuer.

— Je ne suis plus du tout certaine de l'aimer.

Une autre pause, puis :

— À vrai dire, je crois avoir tout essayé. Mais, je n'en peux plus. C'est au-dessus de mes forces.

La mère garde un autre silence, se rend compte qu'elle a tout dit.

— C'est terrible. Je sais.

Et bien qu'elle sache le moment tout désigné pour enlacer sa fille et la rassurer, la mère n'arrive pas à le faire. Elle craint le pire. Elle craint que l'amour n'ait plus rien de rassurant.

* * *

La lenteur du diamantaire commence à intriguer Hans. L'homme feuillette de nouveau son cahier, griffonne un calcul, réfléchit, refait un calcul, pose encore son regard sur les six petits diamants. Hans se demande s'il n'aurait pas dû jeter, la veille, les diamants en bas du pont. Car, en effet, Hans a traversé le Golden Gate à pied, un mardi. Il s'est même attardé quelque peu le long de la balustrade, et il a admiré le tranquille bouillonnement de la mer à l'entrée de la baie.

— Ils sont parfaits. Exquis, même. Je ne peux pas vous payer ce qu'ils valent, mais j'aimerais bien les avoir. Pour un ami joaillier. Il a un talent fou, mais, à vrai dire, c'est un talent dont il n'a pas les moyens. La vie est curieuse quand même, n'est-ce pas ?

Avec cette question — qui est en fait une affirmation — le diamantaire allonge presque paresseusement le bras pour atteindre un cahier à anneaux sur une étagère, le prend, le dépose devant Hans, se met à en tourner les pages. Défilent des photographies d'œuvres d'orfèverie tout à fait originales, mélangeant de façon surprenante une infinie variété de métaux et de pierres, et dont les courbes et les lignes créent des effets de flottement et de suspension fort inusités.

— Les bijoux paraissent plus gros sur les photos. Celui-ci, par exemple, n'est guère plus gros qu'une pièce de dix cents.

Le diamantaire a désigné le bijou en question, puis il a continué de tourner les pages du cahier.

— C'est un rigolo au fond. Il vit — enfin, il survit — dans un petit village du nord de l'Italie. Mais au fond c'est un errant.

L'homme allonge un bras, ramasse une carte postale, la relit en silence, quelque chose le fait sourire. Puis, en déposant la carte sur le meuble :

— Avignon.

Hans tourne maintenant les pages du cahier par lui-même.

— Moi, je suis un commerçant. Mais je l'admire, car lui, il se fout totalement du commerce.

L'homme interrompt le geste machinal de Hans et revient à une page à l'arrière du cahier.

— Cette pièce-ci, il l'a donnée à une jeune fille qui a un jour offert à une pauvre vieille du village de porter ses emplettes le long des pentes abruptes menant jusque chez elle. Comme ça. Donnée. Il aurait pu la vendre trois, quatre mille dollars.

En examinant la pièce en question, Hans imagine d'abord la pauvre vieille, puis la jeune fille, puis les pentes abruptes du village. Ensuite il revient aux pages du cahier qu'il n'a pas encore parcourues.

— Parfois il en vend. Il est bien obligé. De temps en temps je lui fournis du matériel. C'est un génie, vous comprenez.

* * *

Terry entre dans la boulangerie. Il commence à s'y sentir familier. On l'accueille comme un habitué.

— Une baguette et une chocolatine pour monsieur ?

La grosse dame pomponnée a déjà commencé à préparer la commande. Il y a peu de risque qu'elle s'y trompe car Terry achète exactement la même chose depuis une semaine.

En sortant de la boulangerie, Terry décide de s'arrêter pour prendre un petit café vite avalé. Il sait que Carmen dort paresseusement et croit qu'elle jouira de ces quelques minutes de surplus.

Debout au comptoir, Terry sent qu'on lui tapote l'épaule. Il se retourne, voit un visage qui ne lui est pas entièrement étranger, mais qu'il n'arrive pas à replacer.

— C'est la troisième fois que je vous croise. Votre

amie, ou votre épouse, vomissait dans les W.-C. à bord de l'avion. Elle a l'air d'aller mieux.

— Oui. A l'est enceinte.

— Oui. Je sais.

Terry se souvient maintenant de l'homme.

— Il y a quelques jours, je vous ai vus tous les deux assis à une terrasse près d'ici. Vous n'habitez pas loin, j'imagine? Je loge aussi tout près.

L'homme qui n'avait pas l'air de lire commande un café. Terry finit par trouver un fil pour continuer la conversation.

— Vous êtes en voyage, vous aussi?

— Oui. Enfin… quelque chose comme ça.

* * *

Claudia fait ses valises dans la chambre du petit appartement de ses parents. Elle ne se sent pas bouleversée, mais c'est vrai que les choses ne sont plus comme avant. Elle se concentre donc sur l'immédiat, sur la prochaine chose à faire. Sa mère est assise sur le lit.

— J'ai pensé que je pourrais retourner aux États-Unis. Je voudrais être plus près de toi.

Claudia entend mais ne dit rien. Elle n'est pas contre, mais la perspective ne la fait pas sauter de joie non plus.

— Je me trouverai du travail. Peut-être pourrions-nous vivre ensemble.

Claudia ne dit encore rien.

— Mais ce n'est pas obligatoire. Tu es une grande fille. Je comprendrais que tu n'en sentes pas le besoin.

Claudia ne sait toujours pas quoi dire, ne dit donc rien.

— Ton père restera ici, je crois. Il ne se sent pas la force de faire autre chose pour le moment.

Claudia s'arrête un moment, penchée au-dessus d'un tiroir ouvert.

* * *

— Où c'est que t'étais, pour l'amour!?

— Je sais. Je voulais pas être parti longtemps de même, ben y'a un homme qui arrêtait pas de me parler.

Terry raconte à Carmen l'épisode de l'homme qui l'a reconnu dans le café.

— De soir?

— Y'est manière de fin, vraiment.

Carmen réfléchit à la proposition. Terry ajoute :

— On a rien à perdre.

— Je sais pas. C'est comme drôle, tu trouves pas?

— Pas vraiment. Je veux dire, c'est yinque pour souper. Pis on est à Paris là, c'est pas comme si on était dans le fond des bois.

— Je sais pas si je pourrai attendre jusqu'à huit heures pour manger. Tu sais comment c'que c'est.

85

— Y dit qu'y va aller souper là anyways, ça fait qu'on a juste à aller le rejoindre si on veut.

— C'est-ti lui qui paye ?

— C'est de même que ça sonnait.

Carmen semble à peu près convaincue d'accepter.

— Ben, on devrait passer devant le restaurant aujourd'hui, juste pour faire sûr que c'est pas un trou.

* * *

La femme qui ne fume qu'en public ne sait pas comment c'est arrivé, mais elle ne se sent plus aussi désemparée. Elle a même confiance que tout va s'arranger. Elle n'a pourtant rien décidé, fait aucun plan. Elle continue simplement de vivre.

— Tu as vu ton médecin ?

— Non. Pourquoi ?

— Tu as l'air mieux disposée. Je pensais peut-être que tu avais suivi mon conseil.

— Non. Je vais mieux, c'est tout.

L'amie qui avait essayé de remonter le moral de la femme qui ne fume qu'en public reste sceptique.

— J'accepte. C'est tout.

— Tu acceptes…

— C'est ça. J'accepte.

— Mais, tu acceptes quoi ?

— Tout.

— Tout.

— Oui. Tout.

L'amie trouve la femme en face d'elle évasive, ou simpliste.

— Tu acceptes… de l'oublier ?

— Mais pas du tout !

L'amie est un peu mal à l'aise. Elle regarde par la fenêtre du café, voit des gens se presser, espère rétablir la conversation en disant quelque chose de banal.

— Tu ne fumes pas aujourd'hui ?

— Ah ! C'est vrai. Ça allait m'échapper.

L'amie n'y comprend plus rien, finit par en rire.

— Décidément, c'est le monde à l'envers.

* * *

Hans a accepté l'offre du diamantaire, puis il est rentré chez lui. Étendu sur son lit, il repense à sa traversée à pied du pont. Il n'a vu personne se lancer en bas, mais il a cru, à un moment, qu'un autre piéton l'observait d'un air douteux. Cet homme croyait peut-être qu'il allait, lui, Hans, faire le saut. Ce qu'il avait considéré, bien sûr.

Hans se lève, s'approche du casse-tête. Son œil tombe sur un morceau qu'il a pourtant vainement cherché ces derniers temps. Il place le morceau, puis en cherche un autre, et encore un autre, et les morceaux viennent, se laissent poser. Le casse-tête est devenu un jeu maintenant, quelque chose a bougé.

* * *

Les jours passent, une certaine lenteur s'est installée. La vie sur terre m'apparaît de plus en plus lointaine, vaporeuse. Je circule mieux parmi les suicidés exacts, je semble avoir ici une place malgré tout. Je commence même à me faire à l'idée que, par rapport à certains d'entre vous, j'ai effectivement choisi de mourir, que face à certains d'entre vous, il n'y avait rien d'autre à faire. Le suicide n'est peut-être pas un geste aussi exact que ce que j'avais d'abord cru. Je pensais que je voulais vivre. Même ici, je m'accrochais encore à cette idée de vivre. Mais avec le temps, ces idées s'amenuisent. La réalité, le regard changent. Ou plutôt, ils se rencontrent.

J'aimerais avoir des propos plus élevés, plus rassurants pour vous. J'aimerais vous réconforter dans vos vérités. Mais les heures sont calmes ici, de plus en plus calmes. Je crois que je suis vraiment en train de mourir.

* * *

Claudia boucle l'une de ses valises.

— Ce n'est pas si terrible, au fond.

Sa mère entend mais ne réagit pas. Elle a cessé d'attendre que sa fille parle.

— La joie peut exister quand même. Il faut savoir la trouver. Allons au restaurant, tous les trois. Je finirai mes bagages demain, avant de partir.

Claudia n'attend pas la réponse de sa mère pour appeler son père, qui apparaît dans l'embrasure de la porte.

— Tu viens au restaurant avec nous?

Le père regarde la mère, puis la fille. Il n'est pas sûr de comprendre.

— Et mets ta belle chemise. Après, on ira peut-être danser.

Le père regarde de nouveau la mère, puis la fille, hausse les épaules et se laisse entraîner sans se faire prier.

* * *

Hans avait tellement de doigté pour le casse-tête, cet après-midi-là, qu'il a failli oublier son rendez-vous.

— Vous êtes libéré, soulagé de quelque chose. Cela s'est détaché de vous, comme une croûte. Les choses peuvent maintenant venir vers vous, vous atteindre. Il n'y a plus d'obstruction. Je dirais même plus. Vous êtes devenu un pôle. Votre casse-tête avance maintenant, n'est-ce pas? Les morceaux ne viennent-ils pas à vous?

Mais encore une fois, la femme aux doigts rongés n'attend pas de réponse. Elle fait pivoter sa chaise, se tourne vers la Baie vitrée.

— Il y a des afflictions qui se dissolvent d'elles-mêmes. Et en se résorbant, elles nous enseignent des choses. Notre corps emmagasine tout cela. Notre corps sait tout. Tout.

La femme se tourne de nouveau vers Hans.

— Il ne servira plus à rien que vous veniez ici. Vous êtes libre. Vous ferez toujours les bons choix.

Lorsque vint le moment de payer, la femme refusa encore une fois l'argent de Hans.

— Non. Vous en aurez encore besoin. Un jour, très bientôt, lorsqu'il ne vous servira vraiment plus à rien, vous trouverez facilement à qui le donner. Allez. Soyez heureux.

Le soir même, absorbé dans son casse-tête qui progresse à vue d'œil, Hans est persuadé qu'il a commencé à faire les bons choix le jour où il a décidé de vendre toutes ses affaires et de partir.

∗ ∗ ∗

Terry et Carmen causent du mieux qu'ils le peuvent avec l'homme qui n'avait pas l'air de lire. Le restaurant est bondé, le décor est charmant, le vin se laisse boire.

— Le delta du Rhône?

— Oui. On pense qu'on devrait commencer à partir de Lyon.

— Quand?

— Ça dépend. On n'est pas pressés. Vous, où c'est que vous allez?

Terry a une mine plutôt sérieuse. Carmen trouve qu'il essaye de faire l'homme. Elle est assez amusée, a le goût de faire la fille.

— Je devais me rendre en Israël, mais je n'en ai plus le goût. Je voyage comme ça, sans but précis. C'est un peu ennuyeux parfois, mais j'aime y repenser, après, quand c'est fini.

— Ben, d'où c'est que vous venez?

Le serveur arrive avec le plat principal avant que l'homme puisse répondre. Terry et Carmen sont impressionnés par la belle disposition des aliments dans les assiettes. La question est momentanément oubliée, mais elle revient sur le tapis un peu plus tard.

— Mes affaires sont à Baltimore. Chez une femme que j'aime.

Quelle que soit l'idée que Terry se soit faite de Baltimore, elle en prend un coup sur-le-champ. De son côté, Carmen tente de concilier, non sans difficulté, les pratiques de l'errance et de l'amour. Quelques moments de silence s'écoulent donc avant la prochaine question.

— Quoi c'est que vous faisez dans la vie?

L'homme remarque la formulation un peu baroque.

— Je suis peintre, ou ex-peintre. Je ne sais plus.

— Vraiment?!

Terry et Carmen auraient aimé que l'homme en dise davantage, mais rien ne vient. Terry reprend donc le bâton du pèlerin.

— Ça doit être plaisant de voyager de même. Avec toute ça qu'y'a à voir.

L'homme bouge légèrement la tête, pour dire un peu oui et surtout non. Puis il dit tout bonnement :

— J'avais besoin de ne rien faire de spécial.

Terry et Carmen acquiescent, comprennent le concept instantanément.

— Je vous admire d'avoir envie de voir le delta du Rhône. Il y a longtemps que je n'ai pas eu une envie comme ça, une envie concrète, réelle. Je suis un peu bizarre dans ce sens-là.

Terry et Carmen éprouvent de la sympathie pour l'homme, ne le trouvent pas tellement bizarre. Ils échangent un coup d'œil. Carmen est joyeuse, hoche discrètement la tête pour inciter Terry à poursuivre.

— Ben, voulez-vous venir avec nous autres ? Si vous avez rien d'autre à faire…

L'homme les remercie de l'invitation en disant qu'il ne peut pas, mais à peine a-t-il terminé sa phrase que quelque chose le traverse.

— À vrai dire, oui, je veux bien. Cela me ferait plaisir.

* * *

Au restaurant, Claudia a le cœur léger. Elle a l'impression d'être passée, en toute lucidité, de l'état de jeune fille à l'état de jeune femme. Cela s'est fait en douceur, en l'espace de quelques semaines, peut-être quelques jours. Elle comprend maintenant qu'elle a besoin de ses propres secrets, et que c'est pour cela qu'elle n'est pas arrivée à tout raconter à ses parents. Qu'auraient-ils compris aux égarements de l'homme qui n'avait pas l'air de lire ? Elle préfère ne pas le savoir. Elle a besoin, dorénavant, de son propre regard. Et en dansant ce soir-là dans les bras de son père, Claudia, pour ne rien précipiter, essaye très fort d'être encore la jeune fille qu'elle était. En retournant à la table d'où sa mère les regarde revenir de la piste de danse, elle ne croit pas avoir très bien réussi.

Samedi

L'évaluation

— Le trouves-tu weird, toi?

— Pas vraiment. Je le trouve right fin. On dirait qu'y'est comme nous autres.

— C'est vrai. Je sais quoi c'que tu veux dire. Y parle pas pour rien dire.

L'homme qui n'avait pas l'air de lire a quitté le wagon pour aller acheter des cafés.

— Comment longtemps que tu crois qu'y va rester avec nous autres?

Terry hausse les épaules.

— Sa valise est pas grosse.

— J'aime son manteau. C'en est un de même que tu devrais avoir.

Terry regarde le manteau suspendu au crochet.

— Y'est pas mal long.

Carmen en saisit un pan du bout des doigts, frotte légèrement le tissu. Ensuite elle se lève, lit l'étiquette à l'encolure.

— Ça que je croyais. Du cachemire.

Carmen se rassoit, prend la main de Terry dans la sienne, respire de bonheur en regardant défiler le paysage.

— C'est excitant pareil, trouves-tu pas?

* * *

Hans sifflote et travaille sans empressement à placer les derniers morceaux du casse-tête. Une vingtaine de pièces sont à la portée de sa main. Elles sont teintées de bleu, de gris et de vert, et composent le ciel dans le coin supérieur droit du tableau. De jour comme de nuit, le casse-tête a occupé presque tout son temps depuis son dernier rendez-vous avec la femme aux doigts rongés. Il ne sait plus s'il l'achève avec plaisir, ou simplement pour en finir. Il sent qu'il est déjà passé à autre chose. Le temps passé à placer tous les morceaux lui a cependant permis de réfléchir, de laisser flotter son esprit. Il a vu briller des centaines de possibilités, qu'il a laissées dériver selon leur propre destin. L'une d'entre elles, cependant, n'a cessé de refaire surface, et Hans sait très bien que c'est dans ce sens qu'il devra agir.

* * *

Claudia finit de défaire ses bagages. Elle avait rangé le plus gros de ses affaires le lendemain de son retour, mais elle n'avait pas eu le cœur de faire disparaître absolument toutes les traces de son voyage.

— Je vous le donne. L'humour, c'est presque aussi important que l'amour. Je dirais même que, très souvent, les deux pourraient se confondre.

Encore ce pope-rabbin, et de nouveau à côté d'elle en plus! Claudia avait cru rêver.

En fin de compte, elle avait accepté le petit livre de plaisanteries sur Dieu que le pope-rabbin lui avait tendu parce que c'était la chose la plus simple à faire. Le pope-rabbin en avait lu quelques pages en souriant, puis, à un moment donné, il avait franchement ri. Il s'était alors tourné vers Claudia pour lui raconter la blague. Pas certaine de comprendre, Claudia avait ri par politesse, mais sans aller jusqu'à laisser croire qu'elle l'avait tout à fait comprise.

Puis, dans un élan de partage, le pope-rabbin lui avait tendu le livret.

* * *

Quelqu'un frappe à la porte. Hans reconnaît le coup de son voisin hispanophone qui vient toujours lui demander des allumettes. La première fois qu'il était venu, Hans lui avait donné les seules allumettes qu'il avait en sa possession. La deuxième fois, quelques jours plus tard, comme Hans n'en avait pas, le type était reparti tout confus, pour revenir lui en apporter quelques minutes plus tard. Sans doute croyait-il que personne ne pouvait se passer d'allumettes. Le type revoyait ainsi Hans quelques fois par semaine, dans cette relation d'allumettes. C'était devenu un jeu, une façon anodine et peu exigeante de se témoigner de l'amitié, qui avait poussé Hans à prendre l'habitude de se munir d'allumettes.

Hans va répondre, se rend chercher des allumettes sur une petite armoire, revient vers la porte entrouverte. Le type montre le casse-tête, dont il ne reste plus que quatre ou cinq morceaux à placer. Hans l'invite à s'approcher. L'hispanophone admire l'ouvrage, passe sa main dessus, puis indiquant les quelques morceaux épars, invite Hans à le finir devant lui. Hans ne réagit pas. Le type insiste. Hans résiste, hoche négativement la tête en même temps qu'il refuse par des signes des mains. Le type considère Hans, fait semblant de deviner sa ruse, finit par rire et lui tapoter l'épaule comme pour lui donner raison, accepte les allumettes et s'en va. Une fois le type parti, Hans se demande ce qu'il a bien pu imaginer.

*　*　*

L'homme qui n'avait pas l'air de lire est assis, un gobelet de café dans la main.

— Et c'est comment, Moncton?

Terry et Carmen se regardent. Chacun voit dans le visage de l'autre que les descriptions toutes faites n'abondent pas. Terry finit par rire.

— C'est beau quand y neige. Le soir.

L'homme en face d'eux se fait un rapide tableau.

— Beaucoup de villes sont belles si on ne s'arrête pas aux détails.

Terry et Carmen réfléchissent encore un peu.

— Y'a des grosses maisons dans des rues avec des grands arbres.

— Dans le temps de Noël, avec les décorations, ça aide.

— Les maisons sont en bois ou en pierre?

— Le monde dit en bois, ben nous autres on pense pas à ça. C'est juste des maisons.

Terry et Carmen cherchent quoi dire, sont gênés de ne pas trouver grand-chose. Puis Terry trouve quelque chose qu'il considère comme plus significatif.

— Y'a beaucoup d'artistes. Du monde qui fait des peintures, je veux dire.

— Ah bon?

— Y paraît que c'est spécial... Pas que je connais ça.

— Spécial comment?

Terry et Carmen se consultent de nouveau du regard. Carmen s'aventure.

— Ben, je dirais que c'est les couleurs. On dirait qu'y sont grosses.

— Grosses?

— Oui. Grosses. Épaisses.

Terry trouve qu'il y a plus.

— Pas juste ça. Y'en a beaucoup. Des artistes, je veux dire. Pour une petite place.

Carmen se risque.

— Faut dire qu'y sont pas toutes belles.

Terry est intrigué.

— À quelles tu penses?

— Ben, celle-là à la bibliothèque, en descendant l'escalier.

— Mmm…

Terry et Carmen gardent un petit silence de mort sur la toile en question, puis reviennent à la vie.

— Y'en a un, Yvon Gallant. Y peut peinturer n'importe quoi.

— C'est vrai. Lui, c'est pas croyable. C'est pas que c'est parfait du commencement, ben ça finit qu'on aime ça.

— Y'en a un autre, Paul Bourque. Lui aussi, c'est comme mêlé. Pis y veut jamais les vendre. Ça fait que tout le monde veut en acheter. C'est smarte pareil.

— Pis y'a Roméo Savoie.

— Hermé.

— Lui y fait toute. Y'écrit, y peinture, y fait des films, du théâtre. Je crois qu'y'a rien qu'y'a pas fait.

— Pis ça c'est juste les plus connus. Y'en a beaucoup d'autres.

— Raymond Martin.

— Raymond Martin, Nancy Morin, Guy Duguay — ben lui est mort…

— Y'avait Denise Daigle aussi.

— Right. Denise…

— Francis Coutellier… Luc Charette…

— Dyane Léger… Pis comment c'qu'y s'appelle lui qui travaille à côté d'Yvon, dans l'autre salle ?

— Lionel Cormier.

— Pis y'a Alexandria.

— Alexandria Eaton. Une Anglaise. A l'est nice pareil…

— Jacques Arsenault.

— Vraiment, y'en a beaucoup.

— Gilles LeBlanc est pas mal bon aussi.

— Y'a souvent des vernissages avec du vin pis de quoi à manger. N'importe qui peut y aller.

— Ceux-là qui sont plusse business avont souvent du saumon fumé.

— Beaucoup de zeux avont pas trop d'argent, ben y s'arrangeont pareil.

L'énumération impromptue a amusé l'homme qui n'avait pas l'air de lire.

— Est-ce que vous en achetez ?

— Yvon Gallant nous en a donné une. Une petite. On l'avait conduit à Halifax une fois, voir une exposition. Lui-même conduit pas.

— Moi j'aimerais qu'on en ait une de Dyane Léger pour la chambre du petit, ou de la petite. On sait pas encore.

— Y'a Francis Coutellier aussi. Ses bateaux.

— Encore là, c'est la couleur.

— Y'a Georges Blanchette aussi.

— Pour la chambre du petit?

— Non, non. Juste de même.

* * *

Hans place le dernier morceau du casse-tête sans cérémonie. Il n'a pas remarqué, avant de l'avoir posé, que les nuances de cette dernière pièce semblent représenter un château ou une église. Il se baisse, examine cela de plus près. Il ne sait pas s'il doit conclure à un détail intentionnel de la part du peintre ou à un mirage résultant de la façon dont le pinceau a étendu les pigments sur la toile.

Hans se met ensuite à scruter le tableau à la recherche d'autres détails qui lui auraient échappé. Il se prend à aimer de nouveau les détails qui lui avaient plu d'emblée, et en découvre quelques autres qui lui plaisent également. Puis il regarde le paysage du casse-tête dans son ensemble. Il continuera d'y jeter un coup d'œil de loin, un peu plus tard, à partir de son lit, où, assis à l'indienne, il prendra une bouchée.

* * *

Claudia met de l'ordre sur son bureau de travail. Elle range des livres et des cahiers, empile ceux qu'elle devra ouvrir avant de reprendre ses cours. Elle consulte ensuite sa montre, passe un coup de fil, ne laisse pas de message sur le répondeur. Elle fait sa toilette, recompose le numéro de tout à l'heure, toujours personne. Elle s'habille et sort quand même.

Le soleil brille et un vent chaud souffle sur l'avenue. Claudia s'attarde devant quelques vitrines, entre chez un disquaire, fait un achat, ressort, marche encore un peu, entre dans un café, salue un serveur, s'assoit, sort un magazine de son sac en attendant d'être servie.

— Vous êtes musicienne?

— Non, pas du tout.

— C'est drôle. On pourrait le croire.

Claudia avait trouvé étrange qu'au cours du voyage de retour le pope-rabbin lui pose la même question que l'homme qui n'avait pas l'air de lire. Elle ne savait pas à quelle apparence ou à quelle attitude les gens croyaient reconnaître un musicien.

— Vous êtes la deuxième personne à me le demander depuis quelque temps.

— Vos épaules, votre cou donnent cette impression. Peut-être davantage votre cou. On dirait que la musique y passe. C'est un fin passage.

Puis le pope-rabbin s'était tu. Même s'il maintenait une sorte de jovialité à toute épreuve, Claudia trouva qu'il avait un peu changé en deux semaines.

— Ma mère n'est plus amoureuse de mon père. Elle va le quitter. Elle songe à revenir en Amérique.

— C'est normal qu'elle veuille se rapprocher de vous. Et votre père?

— Il est triste, un peu abattu.

— Il s'en remettra, quoique…

Claudia attendit un moment que le pope-rabbin achève sa phrase, mais la suite ne vint pas.

* * *

Plus le temps passe, moins je suis certain de ce qui s'est réellement produit ce jour-là. Je ne suis plus sûr de ce à quoi j'ai pensé quand j'ai aperçu ce poids lourd venant dans la voie opposée. Je me souviens qu'il faisait beau, mais quelque chose de souterrain semblait vouloir percer ce tableau idyllique. J'ai ressenti la nécessité de me répandre en minceur sur la surface des choses, comme si j'éprouvais de la répulsion face à mon besoin de tenir. Mais tenir à quoi? Au nom de quoi? Je crois que j'ai peut-être pensé donner ce coup de volant fatal, mais je crois aussi que j'ai craint d'échouer et de finir vivant mais paralysé. Puis j'ai voulu me changer les idées, mettre un peu de musique. J'ai cherché les *Notes orphelines* de Barencourt. La cassette n'était pas à sa place habituelle. Le poids lourd approchait.

Si je devais revivre, quoique…

* * *

— Tu sonnais bright pareil.

— Faullait dire de quoi. Je savais pas que je connaissais si tant d'artistes que ça.

Carmen avait été plutôt amusée des observations de Terry sur la peinture acadienne.

— Non, vraiment. Ça sonnait ben. Tu m'impressionnes des fois.

L'homme qui n'avait pas l'air de lire revient des toilettes, se rassoit, regarde défiler le paysage.

— C'est la première fois que je viens à Lyon.

Ils avaient décidé de louer une voiture à Lyon et de suivre l'eau jusqu'à la Méditerranée. Personne ne pouvait dire combien de temps cela prendrait. Sûrement des jours, peut-être des semaines.

* * *

Hans s'applique à photocopier le couvercle de la boîte du casse-tête. Il s'y prend à plusieurs fois avant d'obtenir les teintes les plus justes possible dans les dimensions qu'il recherche. Après avoir payé le préposé, il parcourt quelques rues, entre dans un supermarché, achète un paquet de sacs en plastique clair, ces sacs robustes utilisés pour la congélation d'aliments.

De retour à sa chambre, Hans défait le casse-tête et en entasse les morceaux dans un des sacs en se disant qu'il a bien fait de choisir le grand format. Il appuie sur les bandes de fermeture — aime la sensation — puis fait entrer ce sac, côté fermeture en premier, dans un deuxième sac du même genre, une précaution qu'il prend au cas où le premier sac percerait ou s'ouvrirait, laissant échapper des morceaux. Satisfait du résultat, ainsi que de la malléabilité du paquet — la boîte originale du casse-tête aurait été trop encombrante —, il découpe les bords blancs de la photocopie la plus réussie du tableau, la glisse entre les deux épaisseurs de plastique et referme le tout. Il prend ensuite plaisir à manipuler le paquet fortifié, trouve que cela produit un bruit agréable. Enfin, il fait un peu de rangement, puis sort sa valise du placard. Il y dépose le casse-tête au fond, puis le reste de ses affaires. En peu de temps, mais sans qu'il se soit empressé, tout y est. Hans griffonne ensuite un mot sur un bout de papier, qu'il laisse avec des billets de banque sur la table maintenant nue du casse-tête. Il prend ses affaires, sort, verrouille la porte de la chambre, dépose la clé dans un endroit exprès que lui avait indiqué la propriétaire — on ne sait jamais! — et quitte la maison.

* * *

— Il y a des gens qui se jettent leur propre bouteille à la mer. Ils l'envoient comme cela, puis un jour, elle leur revient. Et cela les sauve.

Au début, Claudia n'avait pas compris à quoi voulait en venir le pope-rabbin, d'autant que sa déclaration avait eu l'air de s'ériger comme une pyramide au milieu du silence. Elle avait pris le temps de penser avant de répondre.

— Vous voulez dire, comme le Petit Poucet?

— Oui, un peu. Mais c'est moins lucide, beaucoup plus innocent. Le Petit Poucet savait ce qu'il faisait, non?

— Je crois, oui.

Le pope-rabbin avait continué à réfléchir.

— Non, je ne dirais pas qu'ils le font exprès, ni même qu'ils le font avec un grand espoir. Mais ils en savent tout de même quelque chose.

Le pope-rabbin ne semblait pas attendre de réaction à ses propos.

— La Terre tourne sur elle-même, on a tendance à l'oublier. Peut-être qu'elle finit, elle aussi, par se rattraper, par se croiser.

Claudia n'avait certainement rien à rajouter.

— Le fait de vous retrouver dans cet avion, par exemple. C'est énorme comme hasard, vous ne trouvez pas? Mais qu'est-ce que le hasard?

* * *

À la sortie de la gare de Lyon, Carmen s'attarde devant l'étal de fortune d'un type barbu qui vend des breloques. Terry finit par l'y joindre.

— Y sont beaux.

— Ça doit être cher.

Carmen montre l'un des bijoux.

— Regarde. C'est comme un delta. Ça ferait un beau souvenir.

Terry admire avec Carmen l'épinglette quasi triangulaire sertie de cinq petites pierres brillantes. L'homme qui n'avait pas l'air de lire arrive sur ces entrefaites, regarde à son tour l'étalage à la fois modeste et surprenant.

— Ce sont des bijoux originaux, n'est-ce pas?

Terry demande au type barbu combien se vend l'épinglette qui plaît à Carmen, puis fait le calcul en dollars.

— Deux cent cinquante piasses. C'est pas mal cher.

— Cher de fait.

L'homme qui n'avait pas l'air de lire intervient:

— Si vous permettez, je vous l'offre. Un cadeau général, pour le voyage, pour le bébé…

Carmen regarde Terry. Terry regarde l'homme.

— Vous avez vraiment pas besoin de nous faire un cadeau. Vous payez déjà beaucoup d'affaires comme c'est là.

— Écoutez, ça me ferait plaisir.

Le type barbu détache l'épinglette de son tissu d'étalage et montre comment elle fait jolie contre le manteau de Carmen.

— Elle vous va à merveille. Allez, j'insiste!

L'homme qui n'avait pas l'air de lire sort son portefeuille pour payer le vendeur. Il choisit aussi une autre épinglette, sertie seulement d'une petite pierre celle-là, mais habilement mise en valeur.

— Et celle-ci.

— Celle-là, deux mille francs.

L'homme qui n'avait pas l'air de lire fait un rapide calcul, puis regarde franchement le vendeur, qui a l'air de trouver la situation très drôle.

— Pour la demoiselle, mille francs. Pour vous, deux mille… mais elles valent beaucoup plus.

L'homme regarde de nouveau le type barbu dans les yeux pour voir s'il dit vrai. Il croit deviner que oui.

* * *

Un jeune homme joint Claudia au café.

— J'ai bien pensé que je te trouverais ici.

Il enlève son manteau, s'assoit.

— Tu as acheté un disque ? Je peux voir ?

Claudia lui passe le petit sac. Le jeune homme l'ouvre, regarde de quoi il s'agit.

— Tu le connais ?

— Non. Il m'a paru bien.

Claudia hausse les épaules, ajoute sur un ton jovial :

— J'avais le goût d'essayer.

Dimanche

Le repos

La femme qui ne fume qu'en public arpente tranquillement l'aire d'accueil des voyageurs de l'aérogare. Elle est arrivée bien avant le temps, ne voulait rien faire d'autre. Elle repense au coup de fil qu'elle a reçu, quelques jours plus tôt.

— Gorki? Ah bon…

Il y avait eu un bref silence avant que vienne la suite.

— Mais dis-moi, les gens veulent vraiment relire Gorki?

Dans cette question presque banale, elle avait reconnu toute la candeur et la tendre stupéfaction qui traversaient cet homme quotidiennement dans cette activité — plutôt curieuse, pour lui — qui consiste à vivre, activité à laquelle il s'adonnait avec constance malgré tout.

— Où es-tu?

— En France. Un peu au sud de Lyon.

La femme avait senti qu'il disait vrai. Mais rien ne l'avait préparée à une réponse aussi nette.

Pendant un moment, ni l'un ni l'autre n'avait su quoi dire.

— Gorki. Eh bien…

Puis, elle avait deviné.

— Tu rentres?

— Oui. Je rentre.

*   *   *

Il y a maintenant des jours que je n'ai pas pensé à vous, à toi, mon fils, à toi, ma femme — que j'appelle ainsi, mais pourquoi? —, à vous tous sur la Terre. Je m'éloigne sans cesse, et je change. Depuis que j'ai franchi le cap de la lumière, je ne cesse de me dilater de partout, de m'étendre à l'infini dans le cœur vide et mouvant de la matière.

Il arrive encore, mais ces apparitions s'espacent de plus en plus, que des lambeaux de votre existence viennent à se refléter brièvement sur mon obscure conscience. Mais il m'est de plus en plus difficile de vous répondre. J'ai un peu perdu ce moyen. Je suis tout le contraire d'une quelconque manière. Je suis la paroi intérieure des vieux songes. Je n'arrive plus. Je n'arrive plus. Je suis.

*   *   *

— Je peux pas croire que c'est des vrais diamants. Me semble que ç'a pas de bon sens.

— Je sais. C'est dur à croire.

Assise sur le lit de leur petite chambre à Arles, Carmen examine l'épinglette qu'elle tient du bout des doigts.

— C'est manière d'énervant, asteure. Si on la perd…

Terry regarde par la fenêtre pour mieux penser. Il se rend compte que c'est la première fois qu'il sent Carmen aussi perturbée.

— Ben, on va pas arrêter de vivre à cause de ça.

— Je sais, ben, imagine! Asteure qu'on l'a, si on la perdait…

— C'est yinque des diamants. Je veux dire, c'est pas comme si c'était en vie. C'est des roches. C'est mort. Je dis pas, si tu perdais le petit…

— Pour l'amour! Dis pas ça!

Terry vient s'asseoir à côté de Carmen sur le lit, passe sa main sur son ventre.

— Je veux juste dire que c'est ça le plusse important. Pas les diamants.

Carmen ne dit rien, se laisse consoler. Puis :

— J'ai jamais pensé une seconde qu'on pourrait perdre le petit.

— Ben, fais-toi pas peur avec ça aussi asteure.

— O.K. Ben, dis pus ça.

Ils s'étendent sur le lit un moment, pensifs.

— Quoi c'que tu veux faire? On devrait aller marcher, changer d'air.

Carmen met du temps avant de répondre.

— C'est drôle, on dirait que le voyage est pus pareil tout d'un coup.

Terry comprend ce qu'elle veut dire, essaye de voir ce qui a changé.

Puis Carmen ajoute :

— Y'est parti vite, tu trouves pas ?

— Des fois c'est de même. When you gotta go, you gotta go.

— Je crois ben.

* * *

En descendant de l'autobus à Baltimore, Hans sent clairement qu'il n'a plus qu'une chose à faire : recommencer sa vie. Les jours qu'il a mis à traverser les États-Unis d'ouest en est ne le lui avaient pas encore dicté jusque-là. En cours de route, comme agacé par trop de lest, par la pesanteur de l'avoir, il s'était surtout appliqué à se défaire de son argent, à le donner mine de rien à qui croyait en avoir besoin. Il trouvait insupportable la longueur d'avance que cet argent lui donnait. Il ne voulait pas de longueur d'avance, ni par rapport à lui-même, ni par rapport aux autres. Il voulait vivre à zéro, toujours. S'occuper de survivre, sans plus. Dormir dans des abris rudimentaires, dénicher chaque jour de quoi manger, en échange d'un service ou d'un menu travail, mais sans s'engager davantage. Sans se compromettre. Et sans craindre le déséquilibre. Permettre à chaque jour de faire éclore son équilibre propre, ou sa nécessaire folie.

En descendant de l'autobus, la journée — voire la vie — s'annonce donc bonne pour Hans : il a un peu mal dormi, son veston est froissé parce qu'il a servi d'oreiller pendant le trajet, et une jambe de son pantalon est tachée au-dessus du genou. Il n'y a que sa valise en cuir plutôt luxueuse qui le rende mal à l'aise. Il étudie un peu les alentours, emprunte une avenue qui lui semble prometteuse, se met à marcher dans le but de croiser quelqu'un qui la lui troquera contre un sac en toile qu'il pourra porter à l'épaule.

*   *   *

Terry constate que Carmen a fait tout son possible pour retrouver sa bonne humeur mais qu'elle n'y est pas arrivée tout à fait. Elle a accepté de bon cœur d'accompagner Terry dans la ville, mais elle paraît avoir perdu son entrain, sa curiosité habituelle.

— Tu veux vraiment aller au Musée d'art païen ?

— Ben, me semble que ça serait de quoi à voir. Pis on aura visité au moins un musée. Ça sonnera ben.

Carmen brasse son espresso à la petite cuillère. Elle l'aime bien sucré.

— C'est comme si que le voyage m'intéresse pus. On dirait que je feele comme un delta moi-même.

— Je peux voir, à cause de la manière que le bébé va sortir de tes jambes rouvertes.

Carmen n'avait pas pensé jusque-là, mais la description de Terry ajoute du poids à ce qu'elle sent.

— Y'a ça aussi, ben je pensais plusse au fait qu'on sera trois. Je me vois plusse comme un triangle asteure.

Terry ne dit rien, laisse à Carmen le temps de démêler ses sentiments.

— Je sais pas quoi c'qui m'arrive. On dirait que je comprends pus le voyage.

— T'es peut-être juste fatiguée. Après toute, t'es enceinte. Ça doit changer de quoi.

— Peut-être.

Et tout à coup, Carmen se met à sangloter. Terry ne l'a jamais vue pleurer. Il approche sa chaise, enlace Carmen, essaye de la consoler.

— C'est O.K. Worry pas. Je suis avec toi.

Carmen sanglote de plus belle. Elle a beau se trouver en public, elle n'y peut rien.

— Je me comprends pus.

Terry lui serre les épaules, la laisse pleurer encore un peu avant de parler.

— Peut-être que tu t'ennuies.

Carmen ne sait pas trop ce qu'elle ressent, mais elle n'avait sûrement pas pensé à ça. Les pleurs se font moins intenses.

— T'ennuies-tu, toi?

Terry se rend compte, à sa grande surprise, qu'il ne s'ennuie pas, mais juge bon de mentir un peu.

— Des fois.

* * *

Claudia avait préféré le train à l'autobus pour se rendre de Philadelphie à Baltimore. Au moment de choisir un collège où terminer ses études, elle avait préféré Philadelphie à Washington, sans trop savoir pourquoi, et elle ne l'avait jamais regretté. Du train, elle sait seulement qu'elle aime le léger bercement, et la ronde du conducteur en chef, qui officialise le déplacement. Arrivée à Baltimore, elle vérifie l'heure du départ pour son retour le même jour, puis s'aventure dans la ville, à la recherche du quartier où habite la femme à qui était destinée l'enveloppe que lui avait demandé de poster l'homme qui n'avait pas l'air de lire.

* * *

Terry et Carmen ont regagné leur chambre. Ils sont allongés sur le lit. Terry est en train de lire et Carmen est recroquevillée contre lui. Elle a les yeux fermés, mais elle ne dort pas.

— C'est drôle. Je peux pas le comprendre, ben on dirait qu'y'a beaucoup de choses qui se passent juste asteure.

— Dans toi, tu veux dire?

— Dans moi, pis pas dans moi. Je te dis, je peux pas le comprendre.

— Peut-être que ça fait ça, les voyages.

— Peut-être. C'est weird en tout cas.

— C'est dimanche.

— Quoi c'que tu veux dire ?

— Le dimanche, c'est le seul jour qu'est quasiment pas comme les autres.

— À cause de la messe ?

— La messe, le mess… le dimanche c'est comme ça. Plate pis mêlé. Moi j'ai tout le temps trouvé ça. Quand j'étais petit, je voyais vraiment ça comme une chemise avec dix manches. Je savais jamais quelle mettre. J'avais juste hâte au lundi. Ça pouvait yinque aller mieux.

— Pis, ç'allait-ti mieux ?

Terry croit encore une fois qu'il vaut mieux mentir un peu.

— Tout le temps.

* * *

La femme qui ne fume qu'en public roule à pleine vitesse sur l'autoroute. L'homme qui n'avait pas l'air de lire est assis à ses côtés.

— Tu as reçu mon mot d'Israël ?

— Oui. Merci. C'était gentil.

La femme hésite avant de poser la question qu'elle a en tête.

— Tu y es vraiment allé ?

L'homme, lui, n'hésite pas à répondre.

— Non. C'était trop.

— Trop?

— Oui, trop. J'ai eu peur de manquer d'air, de m'effondrer par en dedans.

— Toi, peur?

— Oui. Moi, peur.

Devant cet aveu sans détour, la femme allonge le bras, pose sa main sur celle de l'homme, la serre un peu.

— Tu as retrouvé le goût de peindre?

— Je ne sais pas. Peut-être. Je sais seulement que je ne veux plus vivre sans toi.

* * *

Hans marche dans l'avenue ensoleillée. Les mains dans les poches, le sac en toile qu'il porte suspendu à l'épaule lui ballotte légèrement dans le dos. Hans a trouvé exactement le sac qu'il cherchait, une grande poche munie d'une large lanière, dont l'ouverture se referme au moyen d'un cordon enfilant une série d'œillets.

Hans marche en se demandant s'il ne va pas détruire tous ses papiers d'identité. Il pèse le pour et le contre, évaluant le degré de satisfaction que ce geste lui procurerait. Il repense à la femme aux doigts rongés, se rend compte qu'elle avait eu raison, qu'il aspirait bel et bien à devenir quelqu'un en ne devenant personne. Il l'entend aussi lui dire qu'il fera toujours les bons choix. Hans ne se sent donc pas pressé de prendre cette décision. Cela se décidera avec le temps. Il est plus actif dans son désir de se défaire du casse-tête qu'il transporte toujours dans son sac. Il trouve qu'il s'agit d'un objet intéressant, ne veut pas simplement le jeter.

* * *

Dans le lit de la petite chambre d'hôtel d'Arles, Carmen dort allongée contre Terry, qui dépose maintenant son livre et reste là, à la regarder dormir. Il espère qu'elle se réveillera soulagée de l'inquiétude et de la confusion qui l'habitaient au début de la journée. Il songe aussi à la brève conversation qu'il a eue, seul, avec l'homme qui n'avait pas l'air de lire.

— En vous regardant, vous deux, cela me paraît tellement évident, tellement simple.

Terry s'était hasardé, avait senti le moment venu de passer au tutoiement.

— L'amour, tu veux dire?

— On appelle cela comme ça, mais…

Terry avait attendu la suite, puis, voyant qu'elle ne venait pas, s'était hasardé de nouveau.

— C'est vrai que c'est plusse que ça paraît. Pis anyways, je veux dire, quoi d'autre qu'y a?

— Moi, je n'ai rien trouvé d'autre.

— C'était-ti ça que tu cherchais? De quoi d'autre?

— De quoi d'autre, ou quelqu'un d'autre que moi au bout de moi. Mais je n'ai trouvé que moi.

Puis l'homme avait semblé comprendre les choses un peu autrement.

— Non, pas tout à fait. Au bout de moi, j'ai trouvé ce qu'il y avait au début de moi. De l'obscurité, et du vent.

Terry avait trouvé cette description plutôt déprimante, mais l'homme, lui, se réjouissait.

— C'est ça. Tout à fait. Je comprends maintenant. Je cherchais à retenir la lumière. Mais nous n'avons pas à la retenir, elle se fait. Oui, c'est ça. Elle se fait. Comme maintenant.

Puis l'homme était devenu plutôt joyeux. Il avait évoqué une chose, et puis une autre, et, pour finir :

— Vous êtes déjà allé à Vent-Couvert ?

— Non, ben mon père a travaillé là une petite élan, quand j'étais petit.

— Ah bon ?

— Pas longtemps. Y s'ennuyait trop de ma mère.

— Elle ne voulait pas y aller aussi ?

— Non. Je sais pas à cause. J'ai jamais trop compris cette histoire-là.

* * *

Claudia a demandé au chauffeur de taxi de la déposer bien avant la rue qu'elle cherche. Elle voulait parcourir le quartier à pied, puisqu'il faisait beau et qu'elle avait beaucoup de temps à sa disposition. Elle se trouve maintenant en face, mais de l'autre côté de la rue, de la maison de la femme qui devait recevoir la missive de l'homme qui n'avait pas l'air de lire. La maison de dimensions moyennes comporte des éléments d'architecture moderne. Mais elle s'harmonise quand même bien avec le quartier qui, sans être tout à fait chic, est propre et bien.

Debout à l'entrée d'un petit immeuble à appartements, Claudia se plaît à regarder le va-et-vient tranquille des environs. Elle voit que certaines personnes se saluent, mais tout le monde n'a pas l'air de se connaître. Des passants la regardent, d'autres pas du tout. Elle reste là près d'un quart d'heure, sans apercevoir de mouvement autour de la maison d'en face. Il n'y a pas de voiture dans la cour et la porte du garage est fermée. Elle sait bien qu'elle n'ira pas frapper à la porte. Cela ne faisait aucunement partie de ses intentions. Elle voulait simplement voir cette maison, ce lieu, comme pour prolonger l'histoire, ou en imaginer de nouveaux contours. Maintenant que cela est fait, elle songe à s'en aller, à marcher encore dans les rues, à reprendre le train et à rentrer à Philadelphie.

Claudia est sur le point de se remettre en route lorsqu'une voiture entre dans l'allée de la maison. Son cœur fait un sursaut. En sortent une femme, du côté du volant, puis, de l'autre côté, l'homme qui n'avait pas l'air de lire. Claudia se faufile dans l'entrée de l'immeuble, car elle ne veut pas qu'on la voie. La femme et l'homme se dirigent vers le coffre de la voiture, la femme l'ouvre, l'homme en retire deux valises. Claudia en reconnaît une. La femme se dirige ensuite vers la porte de la maison pendant que l'homme referme le coffre et se penche pour empoigner les bagages. Mais il est distrait soudainement par un type qui semble avoir surgi de nulle part. Le passant est assez grand, plutôt blond. Ses vêtements sont défraîchis, un sac en toile pend de son épaule. Son autre bras enserre une sorte de paquet, en tout cas quelque chose que Claudia n'arrive pas à reconnaître.

Les deux hommes parlent et la discussion a l'air de porter sur l'objet en question. L'homme qui n'avait pas l'air de lire le prend dans ses mains, le tourne, le retourne. Il discute un peu avec le passant, semble convenir de quelque chose et glisse sa main dans la poche de son veston. En la ressortant, un objet tombe par terre. Claudia trouve que cela ressemble à un petit cadeau. Le passant se penche, ramasse l'objet, le tend à l'homme, qui le remercie et le remet dans sa poche. Puis l'homme qui n'avait pas l'air de lire donne de l'argent au passant, qui s'incline légèrement, poliment, et qui, tout en se remettant en route, ajoute quelque chose. L'homme qui n'avait pas l'air de lire regarde le paquet de nouveau, le glisse sous son bras, agrippe ses valises, entre dans la maison et ferme la porte derrière lui.

Claudia reste immobile un moment, émue et quelque peu étonnée d'avoir assisté au retour de l'homme qui n'avait pas l'air de lire. Puis, au bout du compte, elle devient joyeuse. En quittant les lieux, elle sent qu'elle repensera souvent à cette histoire. Elle ne sait pas exactement comment ni pourquoi, mais l'homme qui n'avait pas l'air de lire lui a créé du rêve.

* * *

Carmen se réveille dans les bras de Terry, qui a repris son livre après avoir un peu somnolé.

— Mmm... je me sens mieux.

Terry dépose son livre, la cajole un peu.

— Tu devais juste être fatiguée.

— Peut-être. On dirait qu'y'avait comme un bouchon.

— Des fois y'en a.

Terry continue de caresser Carmen en silence. Puis :

— Moi je crois qu'on devrait juste rester icitte une couple de jours, prendre ça relax, décider où c'est qu'on veut aller après.

— Mmm...

Terry interprète positivement cette réponse.

— On pourrait téléphoner par chez nous, juste pour dire où c'est qu'on est, voir comment c'que ça va par là.

— Mmm...

— On pourrait aller faire un pique-nique au bord de l'eau, juste pour entendre l'eau.

— Pis le vent.

— Pis le vent.

Carmen se serre davantage contre Terry.

— Crois-tu que ça serait O.K. de vendre l'épinglette pour acheter des peintures ? À Moncton, je veux dire.

— À cause pas ?

— Ben, c'était comme un cadeau.

Terry réfléchit, pense à l'homme qui n'avait pas l'air de lire.

— Ben, y peinturait lui-même. Ça pourrait être comme un honneur pour lui, tant qu'à moi.

Terry continue à réfléchir, puis :

— On pourrait peut-être même en acheter une grande d'Yvon Gallant.

Cette possibilité enthouiasme Carmen.

— Crois-tu ? Qu'on pourrait en acheter trois ?

— Peut-être. Si on trouve la bonne personne à qui la vendre. Paraît qu'y'a un gars à Bouctouche qui connaît ça les diamants. Un Duplessis, si je me rappelle ben.

Terry se voit déjà faire affaire avec le gars de Bouctouche.

— Pis un jour, on contera toute ça au petit.

— Ou à la petite.

— Ou à la petite. Fille, gars, ça fait pas d'diffarence.

* * *

129

En s'éloignant, ou en s'approchant — mais sans savoir de quoi au juste —, Hans pense à quel point il a aimé ramasser et remettre à l'homme aux bagages la petite boîte joliment emballée qui était tombée par terre. Il a aimé sentir le poids du présent dans sa main, ce présent léger qui ne lui a rappelé rien du tout tellement il absorbait la beauté du jour et cristallisait tout. Hans pense aussi qu'il a vu bouger quelque chose de lointain dans le regard de l'homme, juste avant qu'il décide d'acheter le casse-tête du paysage d'hiver. Et puis il pense à ses papiers d'identité, qu'il a toujours envie de jeter.

* * *

Il est curieux, quand même, que ni toi, mon fils, ni toi, ma femme — mais qui êtes-vous au juste? —, n'ayez été l'objet de la dernière parcelle de l'infime énergie que j'ai pu diriger vers la terre. J'aurais cru que c'était vous qu'elle atteindrait, mais non. Cette onde minime s'est infiltrée dans un commerce d'une ville américaine, je crois — je perds de plus en plus la trace — et a fait se glisser dans les mains d'une jeune fille cette musique que j'aimais tant, ces *Notes orphelines* — je ne sais même plus qui les a composées — toutes d'air et de vent. Ce glissement, cette progression presque insensible, voilà tout ce que j'ai pu encore faire, car, pour ce qui est de la jeune fille, elle avait les mains ouvertes.

MISE EN PAGES ET TYPOGRAPHIE :
LES ÉDITIONS DU BORÉAL

ACHEVÉ D'IMPRIMER EN SEPTEMBRE **2001**
SUR LES PRESSES DE L'IMPRIMERIE AGMV MARQUIS
À CAP-SAINT-IGNACE (QUÉBEC).